MÉTAMORPHOSE EN BORD DE CIEL

DU MÊME AUTEUR

38 mini-westerns (avec des fantômes), Pimientos, 2003.
Maintenant qu'il fait tout le temps nuit sur toi, Flammarion, 2005, J'ai lu, 2006.
La Mécanique du cœur, Flammarion, 2007, J'ai lu, 2009.

Mathias Malzieu

MÉTAMORPHOSE EN BORD DE CIEL

Flammarion

ISBN : 978-2-0812-4906-6

Pour toi Endorphine, qui m'aides
à me transformer en moi-même.

Les oiseaux, ça s'enterre en plein ciel. Même le plus élégant des nuages est truffé de leurs petits cadavres raidis.

On raconte que 1 goutte de pluie sur 10 180 serait une larme d'oiseau mort et que 1 flocon de neige sur 16 474 serait un fantôme d'oiseau décroché du placenta céleste.

Je m'appelle Tom « Hématome » Cloudman. On prétend que je suis le plus mauvais cascadeur du monde. Ce n'est pas complètement faux. Je suis doué d'une maladresse physique hors du commun, j'ai le pouvoir de me cogner comiquement aux choses. La liberté des oiseaux m'impressionne, je les regarde peut-être un peu trop. Déjà dans la cour de récréation, je portais des rollers pour espérer voler et subtiliser quelques baisers à ces mini-femmes trop grandes pour moi. Je tombais beaucoup et volais peu, si ce n'est en éclats bleus. Mais au moindre signe d'intérêt de mon « public », une sensation d'invincibilité aussi ridicule qu'agréable m'envahissait. J'ai tout fait pour la faire perdurer : dégringoler du toit de l'école, juché sur un vieux skate en secouant des ailes en carton. Essayer de m'envoler à vélo. (J'ai serti un pare-brise de dents cassées.) Et j'en passe. Plus je tombais, plus je devenais populaire. Certains me lançaient des défis uniquement pour me voir chuter. On riait beaucoup de moi. Je me suis rendu compte que j'adorais ça, ce mélange d'émotions et d'adrénaline qu'on appelle « spectacle ». Parfois je me relevais entouré de souliers vernis multicolores. Je n'ai jamais su résister à ces voix de souris murmurant « encore »... Mais tomber n'a jamais été une fin en soi. Ce qui m'intéresse, c'est le court moment aussi épique qu'incongru qui précède : l'envol.

Plus les années passaient, plus j'éprouvais le besoin d'échapper au quotidien. Mon esprit réagissait comme une pellicule à émotion photosensible où l'amour et la mort pouvaient s'imprimer dans la même seconde. Je me suis mis à développer une véritable phobie des situations normales. Les longs repas notamment provoquaient chez moi des tremblements. J'oubliais, perdais, cassais téléphones, portefeuilles et autres cartes magnétiques. Ces bêtises d'enfant, on a logiquement commencé à ne plus me les pardonner. Je recherchais les shoots d'adrénaline : sauter du haut d'un arbre avec un parapluie comme seul amortisseur, descendre une rivière gelée sur un bateau pneumatique percé, escalader la cheminée de cette fille qui me faisait tant vibrer. Faire tomber dans le conduit ce bracelet d'argent que j'avais eu toutes les peines du monde à lui acheter. Me pencher un peu trop pour le récupérer, et atterrir dans son salon couvert de suie alors qu'elle réveillonnait en famille. Il m'en fallait toujours plus. Plus haut, plus vite, plus loin, plus longtemps. Je vivais comme une toupie de chair et de sang, mon équilibre ne se maintenait qu'en mouvement. Mon comportement commençait à inquiéter mes proches.

J'ai fait de mon mieux pour m'adapter, mais me suis fait virer de partout. Même de l'école du cirque : trop maladroit. Le jury appréciait ma façon de sauter sur le trampoline sans jamais retomber sur le filet, mais m'expliqua qu'un clown devait pouvoir tomber des centaines de fois sans se faire mal – c'était loin d'être mon cas.

Il fallait que je trouve un moyen de m'intégrer et de gagner un peu ma vie. Et pourquoi pas un spectacle d'arts populaires et de cascades ratées ? Raconter des histoires, jouer de l'harmonica, sauter, chanter, voler peut-être, tomber sans doute, mais dans un élan de partage. Partir. Maintenant.

Je décidai de prendre la route quelques instants seulement après y avoir pensé. Une vieille tente canadienne, un sac de couchage et le champ des possibles tassés dans un sac à dos trop petit, et c'était parti. Je ne m'étais jamais senti aussi léger.

Le vent glacé lustrait les illuminations de Noël, les étoiles semblaient plus proches que d'habitude. Une odeur de crêpes s'échappait d'une maison, exaltation suprême… Je me voyais déjà découvrir des contrées qui n'existent pas, apprendre toutes les langues, en inventer de nouvelles. Mais j'ai rencontré un sens interdit. Ce fourbe se dissimulait derrière son ombre à la sortie du village. Il boxa mon arcade sourcilière de toute sa puissance métallique. Tour du monde en quatre-vingts secondes. Je tremblais comme un grelot. Envie d'un bon bain et d'une aspirine géante. Retour à la case maison.

Ce faux départ me permit de réfléchir à mes velléités de fugue. Il me fallait un véhicule, une carapace dans laquelle je pourrais m'abriter plus facilement. Une voiture eût été trop dangereuse. La caisse à savon que j'utilisais pour dévaler mon lotissement, trop fragile. Ainsi naquit l'idée d'un cercueil monté sur roues.

Les mois suivants furent consacrés à la préparation de mon vaisseau. Contreplaqué verni à l'extérieur, literie et coussins à l'intérieur. Petite étagère pour poser un livre de poche, un paquet de gâteaux et se cogner la tête, trous d'aération au plafond, façon boîte pour animal domestique. Roues de BMX, pignon de vélo de course dix vitesses à l'avant de l'appareil, selle molle et guidon large. Après plusieurs essais terriblement décourageants, au printemps suivant, il était fin prêt : rutilant, décoré d'autocollants des Pixies et de nuages assez mal peints.

L'heure du grand départ avait sonné. Je m'éloignai de la sortie du village. Franchir le panneau indiquant le prochain hameau fit frissonner ma colonne vertébrale. Je pouvais m'arrêter n'importe où pour dormir. Même au cimetière.

Mon cercueil roulant se révéla être un véritable aimant à curieux. Même les vieux décorant les bancs publics s'intéressaient à moi. Généralement, je me garais sous un platane et jouais un peu d'harmonica, caché dans l'habitacle. Quand le frémissement ambiant m'indiquait la présence d'une audience suffisante, je bondissais en crachant des confettis. J'improvisais autour de la mort du Père Noël en faisant des claquettes sur un air de Johnny Cash[1]. Puis je grimpais sur ce que je pouvais trouver : un arbre, le capot d'une voiture, un abribus. Je déployais mes ailes de carton et prétendais que je pouvais voler. Je tombais, me faisais plus ou moins mal et terminais mon spectacle allongé dans mon cercueil roulant. Je ne me montrais jamais au public sans mon masque de Zorro. Je l'avais trouvé dans un magazine. Il me permettait de vaincre mes inhibitions et de garder une part de mystère un peu désuète. Même pour embrasser, je le gardais.

De village en village, ma réputation commençait à me précéder. L'affluence augmentait, on m'apportait de quoi manger, des pansements, et même des livres. Je m'étais fixé une règle : ne pas rester plus de vingt-quatre heures au même endroit. Je passais la nuit près des lieux du spectacle et, dès l'aube, je

1. Chanteur folk américain dont la voix donne envie de prendre des trains. (*N.d.A.*)

reprenais la route. Il arrivait que la fatigue et les mauvaises chutes me tiennent allongé quelques heures de plus dans mon cercueil, mais je m'accrochais à mon élan. Le flot de liberté qui coulait dans mes veines me rendait heureux. Chaque jour mon esprit semblait rajeunir. Mon corps, lui, vieillissait. Vite. Pour satisfaire le public, je m'essayais à des cascades toujours plus risquées. Quelle bizarrerie quand on y pense, de nourrir son âme avec le bruit de quelques mains qui s'entrechoquent. On me prévenait, plus ou moins sympathiquement, que je risquais de ne pas tenir longtemps à ce rythme. La liste des blessures et diverses commotions s'allongeait de jour en nuit, et mon dos craquait comme une vieille planche pourrie.

Mais je ne me lassais pas de ces chemins de traverse, champs magnétiques et autres campagnes désolées de me voir me cogner contre leurs arbres. Mon cerveau est un disque dur rempli de crépuscules déguisés en aurores boréales, de renards qui traversent les routes telles des fusées rousses. Ce mode de vie était une machine à fabriquer des surprises. Escargots collés à mon oreiller, hérissons cachés à l'intérieur de mon lit, ou cette fille à l'allure gothique qui voulait dormir dans mon cercueil. Moi de répondre que malheureusement il n'y avait pas de place pour deux. Elle de rétorquer qu'elle ne comptait pas y dormir avec moi.

Et ce nid de canaris rouges, méticuleusement posé au bord de mon lit un beau matin. Certains sont morts dans mon sommeil, mais j'ai gardé sept rescapés. Je devais être la première chose qu'ils ont vue. Je suis en quelque sorte devenu leur père. Je les ai tous appelés Michel Platini[1]. C'est bien d'avoir plusieurs Platini pour constituer une équipe. Ils ont rapidement fait partie du spectacle. J'en avais toujours dans la manche. Ils donnaient de l'ampleur à mes gestes et venaient se poser sur mes épaules lorsque je m'écroulais lamentablement. J'étudiais leurs battements d'ailes, leurs trajectoires. Je m'en inspirais. De jour en jour mon goût pour le ciel s'aiguisait. La voûte céleste m'hypnotisait, j'en aurais dévoré les nuages.

Au cours de cette épopée en cercueil roulant, je suis tombé amoureux des livres. J'expliquai à un petit couple qui venait de m'en offrir un à quel point ce partage d'imaginaire intime me touchait. J'en reçus de plus en plus. Manquant de place mais ne pouvant me résoudre à les abandonner, j'ai décidé d'alimenter le flux. Dès que j'en terminais un, j'écrivais ce que j'en avais pensé sur la page blanche suivant la fin du texte, précédé de cette annotation : « Si vous trouvez ce livre,

---

1. Michel Platini est l'un des plus grands artistes footballeurs de tous les temps. Ses buts, et plus encore ses passes, en ont fait un authentique super-héros. (*N.d.A.*)

lisez-le, et lorsque vous l'aurez terminé, écrivez vos impressions, ainsi que la date et l'endroit de votre découverte. Et déposez-le dans un lieu de passage, bien en évidence. » Certains de ces livres ont pris le train, d'autres la pluie. Certains se sont perdus longtemps, d'autres ont vécu une histoire d'amour avec un sac à main. L'un d'eux est même revenu entre mes mains, annoté sept fois.

J'ai sillonné la route si vite et si fort que je n'ai pas eu le temps de me voir vieillir. Jusqu'au moment où mon corps a commencé à réclamer son dû. Le syndicat des muscles tétanisés s'est manifesté. D'abord sourdement, puis les os se sont mis à craquer. Et mes nerfs se sont tendus si fort que j'en ai perdu le sommeil. J'ai compris un peu trop tard que j'aurais dû apprendre à amortir mes chutes, mêmes involontaires… Je sentais que je ne pouvais plus continuer ainsi mais ne pouvais m'en empêcher. Je voulais mourir et renaître à chaque spectacle, question de panache ! Les alarmes avaient beau se déclencher, je chantais de toutes mes forces pour ne pas les entendre et me donner le courage de grignoter encore quelques secondes d'éternité.

L'hiver venant, la logistique s'est compliquée. Le froid rendait les chutes plus douloureuses. Le public se clairsemait. J'ai commencé à multiplier les cascades hors spectacle. Un jour, j'ai fracassé la devanture d'une boulangerie-pâtisserie en ratant un virage. Des enfants en ont profité pour se tirer avec des éclairs au chocolat, et tout le village a cru que je l'avais fait exprès. Après avoir arraché accidentellement nombre de boîtes aux lettres, rétroviseurs et autres portails innocents, j'ai dû m'initier à l'art de la fuite.

Jusqu'à ce que je me fasse attraper... C'était le lendemain d'une cascade particulièrement éprouvante. Je grimpais douloureusement un raidillon sous une pluie battante. Le verglas cirait le bitume. Mes jambes ont commencé à se raidir et j'ai senti mon vaisseau repartir en arrière. Le cercueil s'est mis à prendre de la vitesse. Je me suis retrouvé au milieu de la route, incapable de redresser la barre. Bruit de moteur. Klaxon. Explosion de tôle et contreplaqué marine. Klaxon. Odeur d'essence. Klaxon. Envol des Michel Platini. Klaxon.

J'ouvre les yeux. Le monde a changé. Une odeur de soupe de cantine et d'éther remplace les exhalaisons d'automne. Le bitume est devenu linoléum. Mon formidable cercueil, un simple lit. Les Michel Platini semblent avoir disparu, les couleurs aussi. Ici, tout est beige et gris décati avec de grandes fenêtres sévères. Chaque pas sur le linoléum fait le bruit d'un pansement qu'on arrache. Les gens s'ennuient, pleurent, crient. Des proches apportent des fleurs, un sourire cousu sur leur visage ; ils se débrouillent pour que leurs larmes coulent à l'intérieur de leurs orbites. Des blouses blanches aux gestes mécaniques hantent les lieux. Bienvenue au service de cancérologie.

La doctoresse qui vient d'écraser un orage d'enclumes sur ma tête me fait penser à mon ancienne prof de maths sexy. Elle arborait ce même air désolé quand elle me rendait mes copies rougies de corrections. Je sentais qu'elle éprouvait une certaine tendresse à mon égard, mais elle ne pouvait rien pour moi.

Aujourd'hui, le problème est simple. Même le cancre de radiateur que j'ai toujours été a tout de suite compris. Je ne suis pas là pour une côte cassée, mais parce qu'une tumeur s'est posée sur ma colonne vertébrale. Elle a poussé, cette grosse betterave, sans que je sente rien. On vient de déposer le sablier du temps qu'il me reste à vivre entre mes mains. Un dé à coudre. Rien d'autre qu'un putain de dé à coudre.

Un avion fou me traverse la tête en silence, puis un deuxième, mon cerveau explose en douceur. L'infirmière qui m'accompagne en radiologie n'ose pas les retirer, de peur que je me vide de mon sang. On me regarde traverser le couloir avec ma dégaine de Twin Tower. Un flacon d'alcool à 90° trône sur un plateau roulant, je me l'enverrais bien cul sec. Une sensation de vertige braise mes paupières.

Oh, comme j'aimerais pouvoir piquer une crise de ciel comme quand j'étais petit ! Dès que l'ennui pointait son nez de vieille tortue amatrice de sudoku, je me faisais aussitôt moulin, vent mugissant, tonnerre.

Aujourd'hui, je donnerais n'importe quoi pour décoller, quitte à me casser une jambe ou deux. E.T., je comprends pourquoi tu t'es barré à vélo en plein ciel. À ta place j'aurais continué de pédaler jusqu'à Pluton sans me retourner.

Six heures du matin. Le chef d'orchestre des interrupteurs fait claquer les néons et l'hôpital s'embrase comme un soleil électrique. Commence alors la grande parade des Ginger Rogers en blouse blanche et claquettes en plastique. Elles nous réveillent à l'aube, au cas où on aurait oublié pourquoi on est cadenassé à un lit toute la journée. Il faut que je m'évade tant qu'il en est encore temps. L'immobilité m'a toujours fait paniquer. Je ne sais qu'avancer, tomber et me relever. Si on m'oblige à ralentir je vais étouffer. J'ai besoin de ma dose de ciel, je ne peux pas respirer correctement si je n'inhale pas ne serait-ce qu'un peu de vent frais. Ici les fenêtres des chambres ont été fabriquées pour rester fermées. Même la lumière semble fatiguée de les traverser. Les télévisions font résonner leurs rires préenregistrés dans les couloirs. Ça me donne envie de pleurer. On devrait organiser un grand concours de jet de télévision contre les fenêtres. Ça nous ferait une activité.

Je ne peux pas rester en pyjama d'apprenti cadavre toute la journée ! Les pansements qui arriment les tubes à ma peau me tirent sur les poils, comme pour m'habituer à limiter l'ampleur de mes mouvements. J'ai peur. Une peur molle, qui colle à l'esprit. Rien à voir avec ce que je ressentais avant les cascades. Je voudrais hiberner et me réveiller guéri. Cette idée me réchauffe pendant quelques secondes. Puis la réalité refait surface.

Je suis coincé. J'ai beau me convaincre du contraire, je sens bien que je ne peux plus quitter l'hôpital. Même si les Michel Platini venaient cogner à la fenêtre, je n'aurais pas la force de les suivre. La Betterave qui pousse en moi est déjà trop lourde, et si je prenais la route sans me faire soigner, elle ne tarderait pas à m'écraser. Mais si je reste ici, je vais devenir fou. Nuits et jours entassent du vide au fond de mon crâne. Mon esprit fait ses cartons comme s'il s'apprêtait à déménager. Parfois, dans l'après-midi, je me promène dans le parc. Je prends les arbres dans mes bras et j'essaie de lire un peu. Je cherche les stimulations, mais la Betterave a installé un périmètre de sécurité autour de mes rêves, on se croirait sur les lieux d'un crime. Je n'ai plus le droit d'y accéder.

— Alors, comment allez-vous, monsieur Cloudman ? demande la doctoresse qui vient d'entrer dans ma chambre avec ses stylos-billes accrochés au cœur.

— Pas terrible.

— Il faut essayer de garder le moral. On se bat beaucoup mieux contre la maladie avec un bon moral, ce n'est pas une légende. Vous savez que nous avons dans le service l'un de vos plus grands admirateurs ?

— Un admirateur ?

— Il s'appelle Victor, il a huit ans et il a assisté à une de vos performances dans son village. Il vous a reconnu dans le parc.

— Pourquoi est-il ici ?

— Leucémie…

Elle se lance sans transition dans une explication complexe sur le plan de bataille pour venir à bout de la Betterave. Je l'écoute à moitié, et la regarde partir terminer sa tournée des patients.

Si à l'âge de cet enfant j'avais appris que je devais vivre dans un hôpital, je serais mort sur le coup. Électrocuté d'ennui dès la première nuit. J'ai eu le temps des printemps fougueux et des coups de soleil. On m'a laissé cultiver un peu mes rêves à l'air libre. Victor doit faire pousser les siens à la lumière des néons.

Je sais à quelle vitesse la Betterave peut éparpiller les songes dans les coins les plus reculés du cerveau. Je ne peux pas me laisser engloutir comme ça ! C'est décidé, je vais reprendre du service. Je vais devenir ce que j'ai toujours été. Dribbler cette putain de

Betterave à la Platini. Rouvrir le chant des possibles, danser pour toujours, voler, même peu, même mal ! Préparez-vous, Tom « Hématome » Cloudman est de retour !

Accroupi sur mon lit, je scrute la lune, planquée en lisière des forêts d'immeubles. J'écoute respirer l'autoroute au loin, ses airs de fanfare d'éléphants désaccordée me stimulent.

Le « clic » du cathéter qui se déconnecte me procure une sensation de liberté merveilleuse. Affranchi de mes chaînes en plastique, je commence à éventrer mes oreillers. Le bruit du tissu qui se déchire est délicieux. Les plumes glissent entre mes doigts. Ensuite je démonte la structure métallique de ma perfusion afin d'en récupérer les branches les plus fines. En les tordant un peu, j'obtiens des armatures pour mes ailes. Après avoir collé les plumes sur les tiges de métal, je les scotche sur mes bras en essayant d'éviter les zones trop poilues. Dernière étape : coller les armatures le long de ma colonne vertébrale. Doubler, tripler les pansements pour qu'ailes et corps restent solidaires. Le contact du métal froid déclenche une ondulation acide entre mes reins. Une magie singulière se dégage de ce rituel. J'aime toucher mon plumage, observer la façon dont il s'empare de la lumière. Mais il me faut d'autres plumes, beaucoup plus de plumes.

Je décide de partir à la conquête de nouveaux oreillers. J'ouvre la porte de ma chambre en silence. Sans ma perfusion je deviens presque invisible. Je déambule dans le service en battant des ailes au ralenti, me délectant de mon propre moulin à vent. Une fois familiarisé avec mon costume de piaf, je prends mon élan et me jette sauvagement sur un chariot-repas. Ça tournoie dans un craquement de gobelets en polystyrène et j'ai une légère envie de vomir. La Betterave rappelle à mon corps à quel point je suis à sa merci.

Le chariot se stabilise devant une chambre avec l'aplomb hasardeux d'une roulette de casino. La porte est entrouverte, j'observe deux petits vieux qui ronflent, faisant montre d'une éblouissante science du rythme. Lorsque le ventre de l'un se gonfle, celui de l'autre se dégonfle – on dirait deux contrebasses qui se répondent. L'égouttement de leurs perfusions donne le tempo, le « bip » de la machine à morphine joue au diapason. L'un deux tousse parfois, émettant un bruit de boîte à clous, mais ils ont l'air étrangement heureux. Tellement heureux que je leur piquerais bien leurs oreillers, tiens ! Je m'approche dans le silence vibrionnant des néons de sécurité. Quand j'étais cascadeur, je ne marchais qu'à ce mélange dopant d'angoisse, d'excitation et d'émotion. Je déchire chaque oreiller d'un coup sec avant d'élargir la plaie pour laisser le trésor de plumes se répandre. J'enfourne le butin sous mon pyjama, qui n'a jamais été aussi doux. Les ogres ronfleurs dodelinent de la tête, paisibles.

Tandis que je relance mon chariot à roulettes pour continuer ma visite de la galerie des monstres endormis, une douleur soudaine se réveille. Elle parcourt le rein gauche, passe par l'abdomen et me retourne l'estomac. J'attends l'arrêt complet du chariot, dont je descends péniblement pour regagner ma chambre, plié en deux. Mes ailes heurtent l'encoignure de la porte. Elles se disloquent dans mon dos, occasionnant une épilation gratuite des trapèzes. Je les ramasse avec le désespoir honteux de celui qui a marché sur son château de sable.

L'aube s'annonce, je tente de cacher mon trésor entre le sommier et le matelas avec la sensation d'être « accompagné ». Peut-être le fantôme d'un mort récent pris de nostalgie. Si je deviens l'un des leurs, j'irai faire le con dans les nuages ou me baigner dans les avalanches. Je ne resterai en aucun cas dans cette antichambre de la mort ! En attendant, je n'ose pas appeler une infirmière pour rebrancher mon cathéter.

Tous les matins, je pose mon crâne sur mon oreiller éventré. Je glisse mes mains sous la nuque pour surélever ma tête, attendant la sentence, tranquillement. Le volume sonore des pas en plastique augmente. Deux chambres encore et ce sera mon tour.

Au menu, piqûres et petit déjeuner : émincé de pain sec à s'en péter les dents servi avec son coulis de pilules amères.

— Vous avez encore fait des bêtises avec votre oreiller ! On a retrouvé des plumes partout dans le couloir, et vous savez où elles mènent ? me demande mon infirmière préférée en faisant cracher sa piqûre en l'air.

— Non ? Dites-moi donc où elles mènent…

— Elles mènent ici ! Ça ne peut pas durer éternellement. Je vais devoir en parler au docteur Cuervo, moi. À votre âge, on ne joue plus au Petit Poucet !

L'infirmière baragouine une énième morale d'institutrice fanée en essuyant la goutte de sang qui perle au creux de mon bras. Elle a peut-être peur de se faire réprimander par la doctoresse sexy ou je ne sais qui. Toute ma vie j'ai cherché à échapper au diktat de ces petites mesquineries, et me voici de retour à la case départ, avec des clones en blouse blanche qui font la pluie et le beau temps dans ma chambre. Mon corps se vengerait-il des risques que je lui ai fait prendre sans avoir pourtant réussi à le hisser au-delà de la trajectoire d'un avion en papier ?

Une demi-heure plus tard, les effets de la piqûre me gagnent, mes nerfs se décramponnent et mes paupières ferment boutique. La transformation d'un être humain en robot d'hôpital est incroyablement rapide. Il y a d'abord votre démarche qui change, à cause de la perfusion et du pyjama. Puis le lit vous engloutit telle une plante carnivore. Bientôt, toute sensation de soleil ou de vent disparaît et il se met à pleuvoir à l'intérieur de votre tête. Vous oubliez de rire, de marcher. Et même si vous vous essayez aux rêves, la douleur et ses escortes médicamenteuses se chargeront de vous rappeler à quel point vous êtes enfermé.

Mais le pire, c'est de se réveiller au beau milieu de la journée dans ce cimetière pour vivants. Personne ne lit, tout le monde bâille devant la télé. C'est le temps des heures flasques, des horloges molles à la

Dali. Les minutes se déguisent en heures. Je les vois faire. Ma chambre est un horrible étau, les murs se resserrent chaque jour un peu plus. Des seringues poussent à travers le plafond et me pissent de l'éther dans les yeux. Je vais me noyer dans mes draps. Devenir une sirène en pyjama. Une sirène qui ne sait même pas nager.

Une infirmière me met le quotidien local du jour sous les yeux en même temps que mon plateau-repas. Il est ouvert à la page des faits divers. Au milieu de la rubrique des chiens écrasés, une notule attire mon attention :

FIN DE CAVALE POUR TOM CLOUDMAN ?

Tom « Hématome » Cloudman aurait signé sa dernière cascade. Recherché par la police locale pour avoir vandalisé plusieurs enclos de jardin et devantures de boutique avec son incontrôlable tombereau, le grand spécialiste de l'acrobatie ratée a disparu voici plusieurs semaines. Les fragments de son « véhicule » ont été retrouvés sur le bas-côté d'une route. Il serait hospitalisé dans la région, dans un état préoccupant. Certains affirment que Tom Cloudman aurait mis son accident en scène pour quitter le pays. « À l'heure qu'il est, il se produit à l'étranger et il est au meilleur de sa forme », soutiennent-ils. Tom Cloudman apparaissant systématiquement masqué et n'ayant jamais révélé sa véritable identité, personne n'est réellement en mesure de savoir où se trouve le plus mauvais cascadeur du monde.

— Vous ne seriez pas ce Tom Cloudman ? me demande l'infirmière.

— J'ai bien peur que si…

— Ça alors ! J'ai un scoop ! On va faire payer les visites, dit-elle avec cette gentillesse un peu ringarde typique des vieilles voisines expertes en commentaires sur le temps qu'il fait.

Je ne suis pas certain d'avoir envie que les gens me voient en pyjama d'hôpital. Il est grand temps que je finisse de remplumer mon costume d'oiseau.

J'ai été obligé de faire évoluer ma technique de cambriolage de plumes, j'en semais trop dans les couloirs. Désormais, je pars à la chasse armé de mes taies d'oreillers vides, que je remplis frénétiquement. J'apprends à marcher sans bruit, comme si j'étais monté sur coussinets. J'ai repéré les portes qui grincent et les malades au sommeil léger. Ce qui ne m'empêche pas de me cogner à une télé ou un cathéter mal placé de temps à autre. De retour dans ma chambre, je prends le temps de coller les plumes une à une avec des pansements. Je savoure ce jeu de reconstruction. Bientôt mes ailes commenceront vraiment à ressembler à des ailes. Je pourrai même rendre une visite à ce fameux Victor.

Un matin, alors que je regagne ma prison ouatée, deux oreillers tout neufs sont soigneusement installés sur mon lit. Ils sont grands et moelleux, et en transparence on voit qu'ils sont remplis de plumes rouges. J'y pose ma tête avec autant de précautions qu'un œuf dans un nid d'aigrettes. Je me blottis tout mon saoul dans mes propres bras. J'essaie d'imaginer qui pourrait être assez bienveillant pour avoir songé à remplacer mes oreillers en pleine nuit. Quelqu'un qui aurait retrouvé ma trace grâce à l'entrefilet du journal ? Mon corps se détend, il laisse mon esprit vagabonder en rêveries fines.

Impossible de me résoudre à éventrer ce nid de luxe. Mais il me faut encore des plumes. La musique froide des machines à rester vivant résonne dans le couloir de l'hôpital. J'observe mes ailes et ne peux m'empêcher de les imaginer couvertes de ce mystérieux duvet carmin. J'éventre finalement les oreillers. Trésors de douceur soyeuse, dont je m'empresse d'orner mes ailes, désormais bicolores. Mon reflet dans la fenêtre s'améliore. Je fais battre mes ailes, elles m'offrent un bruissement bien plus douillet qu'hier. Je décide d'aller à nouveau voler dans le couloir. Il doit bien me rester encore quelques minutes avant l'heure fatidique. Marchant sur la pointe des pieds, j'ouvre la porte. La pénombre se pare de reflets kaléidoscopiques. J'aurais dû noter le numéro des chambres que j'ai cambriolées ce soir, je ne sais plus laquelle choisir pour mon nouveau larcin. Je retiens mon souffle et me dirige vers l'extrémité du couloir. Je ne m'aventure jamais jusqu'ici d'habitude. J'ai l'impression que l'on m'espionne.

— Bonjour ! me lance une voix fluette.

Je tressaille et me retourne pour découvrir un bonhomme d'une petite dizaine d'années perché sur le chariot-repas. Son crâne lisse, ses yeux nuages et les miettes de son sourire sont comme les braises d'une lune que l'on oblige à se lever trop tôt.

— Bonjour…, je lui réponds, hésitant.

— Je vous ai déjà vu passer hier soir dans le couloir avec vos ailes. Vous êtes Tom Cloudman, le super-héros ?

— Eh bien… comment dire…

Il pose son doigt devant sa bouche et secoue son crâne d'œuf de Pâques pour chuchoter :

— Je suis Victor et je sais garder les secrets. Je ne le dirai à personne !

— Merci, mon grand. Merci beaucoup.

— Vous êtes blessé ? On dirait que quelqu'un a mâchouillé vos ailes. Et qu'on vous a rapetissé aussi !

— Euh… oui ! C'est un monstre-légume. Il est énorme et très puissant ; son truc, c'est de noyer les gens dans une soupe filandreuse, une soupe de poireaux !

— Je ne voudrais pas mourir dans une soupe… Déjà que j'ai horreur d'en manger…

— Ne t'inquiète pas, mon grand. Je ne le laisserai pas faire !

L'enfant-lune ne semble qu'à moitié rassuré.

— Il faut que je regagne ma cachette, mais on pourrait se retrouver demain, disons…

— À vingt-deux heures, quand il ne reste plus que les néons de sécurité ?

— On fait ça.

— Super !

Il me tend sa main minuscule. Je l'empoigne comme celle d'un vieil ami.

— À demain. À demain, Mégatom Cloudman, chuchote-t-il en sautant du chariot-repas.

Les nombreux fils de ses perfusions rebondissent sur le lino comme les tentacules d'un poulpe en caoutchouc.

Je regagne mon lit et repense à Victor, à son pyjama trop grand autour de ce corps d'enfant tournant au ralenti, à ses fossettes de dessin animé. À le voir se promener dans les couloirs en pleine nuit, c'est lui qu'on prendrait pour un super-héros.

— Bonjour, dit l'infirmière avec une intonation strictement similaire à celle d'hier et de demain.

— Bonjour.

— Vous êtes tout sourire de bon matin et il n'y a pas la moindre plume par terre, vous êtes en progrès, dit-elle en préparant une énième piqûre. Tendez-moi votre bras, monsieur MacMurphy, s'il vous plaît...

— Cloudman !

— Votre cathéter est débranché ! Qu'est-ce que vous avez encore fabriqué ?

— Des ailes.

L'infirmière pose ses doigts aux ongles mal vernis sur mon épaule gauche, et découvre au toucher la structure métallique sous mon pyjama. Elle me demande de le retirer. J'obéis, et je me retrouve face à elle, torse nu avec des ailes qui dépassent dans mon dos.

— Vous savez ce que vous risquez en interrompant votre traitement comme ça ? dit-elle, visiblement choquée.

— Oui.

— Donnez-moi ça ! Et je vous prie de rebrancher immédiatement votre cathéter.

— Je sais le débrancher, mais j'arrive pas à le remettre.

— Bon, écoutez, ça suffit, j'appelle le docteur Cuervo !

Quelques minutes plus tard, j'entends un galop de sabots dans le couloir. Vu que les chevaux sont assez rares dans cet hôpital, je suppose que je vais avoir droit à un petit procès.

Ils sont quatre. La doctoresse est aux avant-postes. En embuscade, mon infirmière et son cerveau d'adulte incompatible avec le mien. Sur les côtés, deux aides-soignants en blouse bleue. Ils s'approchent de moi ; le premier m'immobilise sur le lit avec suffisamment de fermeté pour que ce soit humiliant, le second décolle mes ailes d'un coup sec. Les sparadraps arrachent exactement le bon nombre de poils pour mettre en route le mécanisme de mes colères les plus noires. Leur regard, et surtout la manière dont ils déchirent mes ailes pour les faire rentrer dans la poubelle, accélèrent le séisme qui ébranle mon crâne. J'écoute le squelette métallique de mes oriflammes se tordre. L'énergie que confère la colère me reconnecte avec des sensations de vie forte. Je pourrais fracasser le mur à coups de poing, inventer une fenêtre, partir marcher sur les nuages en regardant l'horizon dans les yeux.

— Arrêtez, monsieur MacMurphy. S'il vous plaît, calmez-vous... dit la doctoresse avec douceur.

— Cloudman !

— Il ne faut plus débrancher votre perfusion. Son contenu est primordial pour vous maintenir en vie, c'est ce qui régénère votre sang.

Elle se retourne vers ses acolytes et leur fait signe de quitter la chambre.

— J'essaie juste de donner un peu de sens au temps qu'il me reste, lui dis-je une fois qu'ils sont partis.

— En agissant ainsi, vous ne vous respectez pas, et du même coup vous ne respectez pas non plus ceux qui vous soignent. Écoutez-moi, monsieur Cloudman. Je suis cancérologue, j'ai vu des gens revenir de plus loin que vous. Ne sous-estimez pas le potentiel de ces traitements. Je ne vous laisserai pas gâcher vos chances de rémission.

Ses poings serrés déforment les poches de sa blouse.

— Je compte sur vous, dit-elle en quittant la chambre.

Le légumoïde gagne en puissance. Il a piraté le code de mon système respiratoire. Dès que je produis un effort physique, même minime, je suis essoufflé comme un vieillard. Je maigris, mais je me sens obèse. Le temps ralentit et s'accélère simultanément, j'en ai le tournis. Heureusement, les calmants me permettent de trouver la sortie du labyrinthe des insomnies, parfois.

Un petit quelque chose en papier rouge a attiré mon regard ce matin. Une enveloppe, aussi incongrue qu'une rose poussant sur la banquise. Je l'ai décachetée du bout des doigts. Puis, sous le coup de l'impatience, j'ai fini par la déchiqueter, pour en libérer le contenu, malencontreusement déchiré. Une photographie. Reconstituée, elle représente un homme à tête d'oiseau, avec des ailes dans le dos. Ses plumes, du même vermillon que l'enveloppe, tranchent avec le noir brillant de son costume. Des nuages flottent autour de lui, adoucissant l'image. Qui peut bien m'envoyer ça ?

Piqué au vif, j'ai récupéré mes ailes tordues dans la poubelle et retiré les seringues vides coincées entre les plumes. Je me suis dit que j'aurais pu leur infliger un traitement identique en ratant une cascade. Je crois que je les préfère comme ça, maintenant.

La perfusion complique mon travail de cambrioleur mais je la garde. Lorsque je ne me prends pas les pieds dans les fils, j'en cogne la structure métallique contre les portes. Je réveille de plus en plus souvent mes victimes. Ça crie, ça allume les interrupteurs et ça rameute les infirmières. J'ai fini par me lier d'amitié avec les ogres de la 312. Lumière allumée, ils sont si blancs qu'on les confond avec leurs draps.

— Qu'est-ce que tu fous là avec ce déguisement ? m'avait demandé le plus âgé des deux alors que je tentais vainement de défaire les nœuds entre nos perfusions respectives.

Je m'étais excusé de les avoir réveillés et leur avais expliqué pourquoi j'en voulais à leurs plumes. Ils avaient grommelé dans leur barbe de Pères Noël fatigués et m'avaient laissé repartir avec le contenu de leurs oreillers. Depuis, ils abandonnent tous les soirs quelques plumes au pied de leur lit. Plus besoin d'interrompre leur concerto de ronflements.

Il n'y a que lorsque je vais à la rencontre de l'enfant-lune que je me débranche. Pour lui, je joue à l'illusionniste, j'invente des histoires qui nous font rêver.

Hier soir, je lui ai dit que je comptais cambrioler les oreillers des hôtels de luxe en Suisse. Aujourd'hui, il m'a fait part de son plan consistant à se faire passer pour mort et s'échapper avec moi en cercueil roulant. Nous engagerons une meute de chiens de traîneau pour tailler la route, et à nous les trésors helvètes !

Apprendre à mourir au printemps a des avantages et des inconvénients. Les vents tièdes qui caressent mon pyjama en papier lorsqu'on m'accorde une petite promenade dans le parc me donnent une sensation de gâchis extraordinaire. Après un quart d'heure de marche, même la plus bienveillante des brises complique mes pas. Je pose mon corps sur un banc. C'est la fin de la journée. Les autres apprentis cadavres sont déjà remontés s'entraîner à crever dans leur lit. Je vais en faire autant. Un dernier coup d'œil au ciel nu et je rentre.

Une plume rouge tombe alors à mes pieds. Je la saisis entre mes doigts : cette plume est sans l'ombre d'un doute la sœur de celles de mes oreillers. Une autre se pose sur ma tête. Je lève les yeux pour découvrir une pluie de duvet rouge qui s'abat sur le parc, au ralenti. Les ocres du crépuscule sont assortis, on dirait que le ciel saigne. Il n'y a pas d'erreur possible, ce doux cataclysme vient du toit de l'hôpital. Est-ce qu'on éventre des nuages d'oiseaux là-haut ? Que se passe-t-il sur ce toit ? Serait-ce la porte d'entrée du ciel ? Ce soir, j'irai explorer tout ça.

La nuit enfle derrière les fenêtres de ma chambre. Le « clic » du cathéter qui se débranche fait monter un frisson entre mes omoplates. « Clic », cet accélérateur de mort m'offre un souffle de liberté. Curieusement, la Faucheuse et son carrousel d'ombres approchant, on voit mieux la vie. Je devrais écouter la douce doctoresse et rester sagement couché, tenu en laisse par la perfusion. Quelque chose en moi me dit qu'elle a raison. Mais je vois bien que les grains de mon sablier s'écoulent de plus en plus vite, je le sens à chacun de mes gestes.

C'est donc avec ma touche de fantôme mal repassé que j'entreprends de flotter jusqu'à l'escalier de secours. Le bruit de l'ascenseur aurait été trop suspect, je m'attelle à une ascension à l'ancienne. Quatre étages à gravir pour atteindre le sommet et ses mystères carmin. Un mistral enragé fracasse les ombres des pins contre les fenêtres, comme s'il voulait me dissuader d'escalader encore. Chaque pas fait grincer les marches en bois du colimaçon. La nuit serre ses doigts glacés sur mon pyjama. J'approche de l'ultime étape, une échelle métallique du genre de celles qu'on trouve au bord des piscines. J'aurais préféré un plongeoir pour me jeter direct en plein ciel – un vieux réflexe. Je soulève la lourde trappe, qui craque avec un bruit lugubre, et me hisse sur le toit. Je n'en crois pas mes yeux.

Une volière géante ! Un véritable palais de plumes bâti à même le firmament. Du sol au ciel, tout est tapissé de duvet écarlate. Une immense cage trône au centre, avec un nombre invraisemblable d'alcôves dans lesquelles nichent une nuée de chardonnerets, sizerins flammés et autres flamboyants, endormis le bec entre les plumes. Toutes les nuances de rouge brûlent l'obscurité. Je m'approche. Mes pieds s'enfoncent dans le tapis délicieux. Chaque pas est une caresse. Une rafale de vent retourne mes ailes comme un vieux parapluie. Je manque de perdre l'équilibre, mais je suis bien trop fasciné pour ressentir de la peur. Un faisceau de lumière s'échappe. Mon cœur ne bat plus, il danse. Je m'approche encore. Deux étranges oiseaux laineux de très grande taille sont perchés sur le toit de la maisonnette, deux jouets mécaniques au milieu de vrais oiseaux. Alors que j'atteins le pas de la porte, ils déploient leurs ailes amples dans un bruit de barillet. Je m'immobilise quelques secondes. C'est amusant et effrayant en même temps. Les faux corbeaux ont réveillé les vrais oiseaux, qui déplient à leur tour leurs ailes, ouvrent leurs yeux en tête d'épingle et se mettent à harmoniser sauvagement les pépiements. Ils décollent et forment à toute vitesse une patrouille qui tourbillonne au-dessus de ma tête. Leurs chants laissent place à des cris suraigus. Le fracas de barillet s'accélère, les oiseaux vivants me frôlent. L'un d'eux me picore le haut du crâne – même ici il faut donc que j'aie droit à des piqûres ! Je tente de reculer mais perds l'équilibre et me retrouve nez à nez avec le vide. Je distingue les marques blanches du parking. Les piqûres de bec s'accentuent. Mon pied gauche glisse sur l'arête du bâtiment, mon pied droit se retrouve dans le vide. Je bats des bras comme si j'avais de vraies ailes, en vain. Je vais basculer.

Je sens alors la pression d'une main étrangement douce autour de mon bras, puis une autre autour de mon épaule. On me tire vers le toit. Essoufflé, je m'allonge sur le parterre duveteux.

— Ce n'est pas très prudent de se promener par ici, vous savez ?

Cette voix à la sonorité synthétique est émise par une silhouette recouverte de plumes. J'ai du mal à la distinguer dans l'obscurité. Elle sent bon, un mélange de châtaignes grillées et d'herbe fraîchement coupée.

J'essaie de balbutier une réponse cohérente, mais la peur mêlée à l'émotion produit des puzzles de phrases infirmes. Je profère quelques moignons de mots, à recoller selon.

— La reine des oiseaux va bientôt mettre bas, m'interrompt mon sauveteur. Les oiseaux ne vous veulent aucun mal, mais lorsqu'ils protègent les œufs, ils sont pires que des pitbulls !

— Qui êtes-vous ?

— Celle qui vous conseille de rentrer au plus vite dans votre chambre, car il est six heures moins dix, monsieur Cendrillon !

— Vous... veillez sur moi ?

— Six heures moins neuf...

Je quitte cet endroit merveilleux à regret, regagne ma chambre et me glisse in extremis sous mes draps. Je rebranche ma perfusion juste avant le lever de soleil électrique.

Pour une fois, je suis presque heureux d'être dans mon lit. Je vais pouvoir rêver tout le jour de cet incroyable bord de ciel. Me dire que je pourrai y retourner adoucit sacrément les perspectives. Il va falloir que j'enquête, que j'en découvre davantage sur cette volière magique et sa propriétaire.

J'ai beau cadenasser mes paupières pour couver mon rêve rouge le plus longtemps possible, il finit par s'échapper. Et je dois reprendre contact avec le mal qui me ronge. La Betterave m'attend avec son infinie patience, elle me fait penser à un serpent qui vient renifler sa proie, vérifier que la viande est bien vivante. Je l'imagine jeter un œil amusé au tableau sur lequel sont notés les résultats de mes analyses quotidiennes.

Quelqu'un frappe à la porte. C'est Pauline, mon infirmière dont la connerie est telle qu'elle en devient parfois méchante. Elle porte dans ses bras une longue boîte en carton blanc entourée d'un ruban de laine grenat. Je m'étonne de la voir manipuler un objet aussi joyeux. Elle le dépose sur ma table de chevet en souriant d'un drôle d'air. Je hisse mon corps de jeune vieillard hors du lit, m'applique à défaire délicatement le ruban. Je soulève le couvercle : des plumes rouges, à ras bord. J'y plonge mes mains, puis mes bras, jusqu'aux épaules. Parcelle de ciel en room-service. Je fouille dans l'espoir de trouver un petit mot, quand tout à coup je perçois quelque chose de froid et dur au fond de la boîte. J'exhume deux squelettes d'ailes mécaniques flambant neufs. Ils possèdent quatre points d'articulation souples et ont une envergure d'environ deux fois la longueur de mes bras. L'enfant en moi sort du bois, sensation de Noël palpitant. Je n'avais plus ressenti cette joie depuis des années.

— Bonsoir Tom, comment vous sentez-vous aujourd'hui ? me demande la doctoresse, dont je n'avais même pas remarqué la présence.

J'essaie vainement de dissimuler les ailes sous les draps et tente d'effacer le sourire béat qui parcourt mon visage. Je toussote pour me donner une contenance cohérente avec mon statut d'apprenti malade.

— Vous n'avez pas besoin de dissimuler vos ailes, vous savez.

— Je n'ai pas envie de les retrouver tordues dans la poubelle.

— Tant que vous ne débranchez pas votre cathéter, vous pourrez les porter.

Je suis prêt. J'ai travaillé frénétiquement tout l'après-midi. Je n'ai même pas vu la nuit tomber. J'ai collé des plumes, des plumes, des plumes sur les armatures, puis j'ai fixé les armatures sur mon pyjama de combat. On se doit d'être sur son trente et un pour le bord du ciel. Mon cœur batifole punk-rock à l'idée de retourner là-haut.

— Whaouh, la classe ! C'est ton nouveau costume de nuages ? s'exclame Victor, en vadrouille dans les couloirs.

— Mon quoi ?

— Ton costume de nuages. Pour te promener dans les nuages !

— Ah… oui. Je vais l'expérimenter sur le toit cette nuit.

— Je peux venir avec toi ?

— C'est dangereux…

— Justement !

Ses yeux trop grands pour son âge et les nuages de paupières qui clignent posément dessus me compliquent la tâche.

— Écoute, Victor… Tu me laisses vérifier que ce toit n'est pas hanté et je te donne ma parole que je t'emmènerai, d'accord ?

Il fait un petit oui de la tête.

— Je m'entends bien avec les fantômes, alors même si c'est hanté, tu pourras m'emmener la prochaine fois, d'accord ? dit-il en réajustant mes ailes avec beaucoup d'application. Il ponctue sa phrase d'un rire de souris de dessin animé.

— Promis.

Il reste au milieu du couloir, continuant à me regarder alors que je passe la porte qui mène à l'escalier de secours.

Me voici pour la seconde fois au bord du ciel. L'effet de surprise passé ne désamorce pas le merveilleux qui émane de cet endroit. Je suis aussi essoufflé qu'hier soir, mais mes ailes flambant neuves me procurent une certaine sensation d'invincibilité. Je prends grand soin d'en observer chaque détail. Les oiseaux cousus main installés dans des cages suspendues au milieu des véritables rouges-gorges endormis, le lierre de plumes qui grimpe et dévore chaque millimètre carré, déclenchant une envie irrépressible de s'y enrouler, la brume qui voyage au ralenti, mêlant les reflets de lune avec la nuit. On dirait que le toit s'est décroché de l'hôpital, qu'il dérive à l'infini. Une boule de coton géante en forme d'œuf trône au beau milieu de la volière. Soit la demoiselle-oiseau a décroché ce nuage directement du ciel, soit elle est un peu trop portée sur la ouate démaquillante. Une caresse de vent anime les plumes, sauf qu'il n'y a pas de vent. Ai-je affaire à un cas de volière hantée ? Finalement, je me sentirais plus rassuré avec Victor à mes côtés.

Je m'approche de cet opulent cumulus pour m'apercevoir que c'est un nid rempli d'une douzaine d'œufs peints à la main. Peints avec du rouge à lèvres, me semble-t-il. Je perçois un léger grincement de ferraille au-dessus de ma tête. Le son se fait plus insistant, et le vent venu d'on ne sait où forcit. On dirait que le ciel respire par petites rafales. Je lève la tête et distingue la nacelle d'une balançoire juste au-dessus de moi. Une silhouette familière entre et sort de l'obscurité comme le fantôme d'oiseau qu'elle est peut-être. J'ai une soudaine et incontrôlable envie de l'agripper façon pompon de manège pour enfant. Qui sait, je gagnerais peut-être un tour de ciel à ses côtés. Son corps est moulé dans un complet de plumes qui dessine délicieusement ses courbes de la tête aux pieds. Le capuchon qui enserre son visage ne laisse même pas dépasser ses oreilles, on dirait un chaperon rouge version chardonneret sexy. Ses mains sont gantées de velours noir. Serait-elle une cambrioleuse ? Je m'approche. Cette fille c'est une pièce montée sur talons hauts, sa bouche clignote comme le plus gourmand des phares. La nacelle ralentit dans un bruissement d'élytres, mon cœur accélère. Un oiseau est perché en haut de sa clavicule gauche, lui donnant un air un peu pirate. Je m'approche encore. Son minois est recouvert de plumes minuscules qui s'animent à la moindre expression. Celles de ses avant-bras, beaucoup plus longues, s'étendent majestueusement jusqu'à devenir des ailes.

— Vous êtes du genre têtu, vous... dit-elle en se balançant, placide, toujours avec cette voix aux accents chauds et ce je-ne-sais-quoi de synthétique.

— Je tenais à vous remercier pour les ailes, dis-je en les secouant maladroitement.

— Je vous en prie... Vous les portez avec une élégance comique.

— Comment dois-je prendre ça ?

— Comme un début de compliment.

— C'est-à-dire ?

— Il vous faudra apprendre à rendre le comique plus élégant.

Les plus belles femmes du monde sont censées donner le tournis, celle-ci me donne un torticolis. Sa petite fabrique de vent télécommande les mouvements de mon cou. Tout palpite. Les plumes qui ondulent sur sa peau la rendent terriblement expressive. Elle pourrait communiquer avec moi sans prononcer le moindre mot. J'ai gravi l'escalier de secours avec la volonté de tout savoir sur cette sirène céleste. Mais maintenant j'ai juste envie de rester là à assister au spectacle de sa bouche en mouvement jusqu'au lever du jour. En contrebas, j'aperçois les poids lourds qui sillonnent l'autoroute, pouls d'un autre monde.

La femmoiselle freine sa nacelle des deux pieds, s'approche de moi en silence. Elle passe son bras autour de mes ailes pour en vérifier la bonne tenue.

— Voudriez-vous apprendre à voler, monsieur Cloudman ?

Je ne peux m'empêcher de réprimer un sourire légèrement ironique en répondant :

— Je sais à quel point c'est compliqué d'être crédible, même lorsque l'on dispose d'un costume aussi sophistiqué que le vôtre. J'essaie à ma manière d'être à la hauteur des rêves d'un enfant qui vit dans cet hôpital, je connais bien le problème... En tout cas, j'adore votre déguisement !

Un bruissement d'ailes. L'oiselle tire une longue bouffée de cigarette. Ses paupières ensevelissent ses pupilles, comme les rideaux à la fin d'un spectacle de marionnettes. Elle étend ses bras jusqu'au bout des doigts, plie ses genoux, cambre ses reins et repousse le sol de ses talons plus qu'aiguilles. Ses pieds graciles quittent le sol, ses ailes se déploient, balayant le nuage de fumée. Onctuosité absolue. Les étoiles se penchent pour la regarder et se cognent aux angles du bâtiment. Elle s'envole jusqu'au portique de sa balançoire, se perche sur la barre transversale. La lune est en apnée, amoureuse.

Alors que le nuage de fumée se dissipe, elle entame sa douce descente vers le parterre duveteux, où elle atterrit avec l'élégance maladroite des femmes en hauts talons. Ses yeux de comète vivante papillonnent. Je retiens mon souffle, de peur que le rêve auquel j'assiste s'évanouisse. La femmoiselle semble blottie au cœur d'elle-même, fragile comme une flûte de cristal posée sur un tremblement de terre.

— Ce n'est pas un déguisement... souffle-elle, presque embarrassée.

Je suis plus sonné qu'un boxeur vaincu. Je m'assois, mécaniquement. Même assis, j'ai encore l'impression que je vais tomber. J'ai dû oublier de respirer depuis un bon moment. Un soudain hoquet me donne l'impression d'être victime d'un faux contact.

— Vous me croyez maintenant, quand je vous dis que je peux vous apprendre à voler ?

J'acquiesce d'un mouvement de tête assorti d'un spasme qui ne manque pas d'amuser l'oiselle.

— Je vais vous proposer un deal. Si vous l'acceptez, je pourrai vous offrir une seconde vie.

— Un deal ?

— Un échange de bons procédés, si vous préférez.

— Je suis en train de rêver ou vous me proposez un pacte faustien ?

— En quelque sorte. Disons que ce serait entre le pacte faustien et le mariage, en beaucoup plus intense.

— J'accepte.

— Attendez de savoir...

— Non, peu importent les termes du marché.

— Vous ne pouvez pas accepter sans savoir, coupe-t-elle. On ne fait pas « tapis » au poker sans avoir vu ses cartes.

— Distribuez donc les cartes !

— Trop tard pour ce soir. La nuit a commencé à se dépigmenter, vous ne devez pas rester ici plus longtemps. Revenez demain, un peu après minuit. Je vous expliquerai clairement les tenants et aboutissants de notre marché. Ensuite seulement vous serez libre d'accepter ou non.

Après avoir prononcé le mot « accepter », elle a cligné des yeux trois fois d'affilée. Puis elle a croisé et décroisé les bras deux fois, très vite, avec cet air d'oiseau blessé qui ne sait plus où poser ses pattes. « Je m'appelle Endorphine », chuchote-t-elle, en glissant sa main couverte de plumes dans la mienne. Ahurissante de grâce équivoque.

Je m'engouffre dans l'escalier comme un jeune premier, volant de marche en marche, jusqu'à ce qu'une douleur vive dans le bas du dos me rappelle violemment à l'ordre. J'en avais presque oublié la Betterave ! J'atteins péniblement le couloir, qui est déjà allumé. Je me glisse dans ma chambre à la hâte, mais le comité d'accueil m'a devancé.

— On peut plus aller pisser tranquille ici ?

— Vous avez des toilettes dans votre chambre, monsieur Cloudman. Vous devez vous reposer.

— Je me reposerai quand je serai mort !

L'infirmière de service lève les yeux au ciel et quitte la chambre. Mes paupières sont aussi lourdes que des tractopelles, mais je sais que je ne trouverai pas le sommeil avant d'avoir fait le tri des émotions et découvertes de la nuit.

J'ai dû perturber le marchand de sable avec mon accoutrement d'oiseau en pyjama : il n'est pas venu. Je traîne mon corps en position assise pour me remettre à la confection de mes ailes.

J'étais incapable de réparer quoi que ce soit de mon vivant « d'avant ». Handicapé de la logistique, inadapté chronique aux actes les plus banals. Conduire, déménager, réparer, entretenir, tout ça m'a toujours semblé terriblement compliqué. Pourtant, depuis que j'ai découvert l'oiselle qui se niche au bord du ciel, je suis devenu une vraie bête de boulot. Je travaille dur à rembobiner le fil de ma vie, si fragile soit-il.

Cette perspective de deuxième vie brûle toute trace de conscience raisonnable. J'ai besoin de croire au pouvoir d'Endorphine. Je n'ai plus le temps de me méfier. Croire, c'est tout ce qui me reste. Cette oiselle est peut-être suffisamment folle pour réussir à m'enseigner sa science du vol après tout ! Je sens le parfum des anciennes cascades, cet élan de vieux train à vapeur qui actionne la pompe à adrénaline. C'est la dernière danse, le bouquet final. Je veux le sentir éclore jusqu'au fond de mes artères. Je dois impérativement ressusciter avant de mourir. Après, je serai trop fatigué. Envoyez les comètes, mademoiselle oiseau ! Je me frotterai à elles et vous, à m'en réveiller l'âme de la tête aux pattes. Envoyez les orages furibonds, ceux qui font des trous dans le ciel, qui ensanglantent les nuages et tapissent l'horizon d'une crinière coquelicot.

— Bonjour, monsieur Cloudman, lance Pauline du ton compassé d'une assistante sociale.

— Bonjour...

Elle se penche sur moi et vérifie mon cathéter. Je le rebranche désormais avec l'agilité d'une infirmière diplômée.

— C'est très bien, monsieur Cloudman. Le docteur Cuervo va être contente de vous !

Un peu plus tard dans la journée, Mister Betterave s'est rassis sur ma tête. Il a enfoncé ses doigts de clou dans mon ventre avec ses airs de « c'est moi qui commande ». Dans ces moments-là, la douleur écrase tout. J'ai beau penser à Endorphine, je ne vis que pour me retrouver dans les bras de Morphine. Je suis à sa merci et je me fais pitié. C'est la doctoresse en personne qui vient me piquer. Administré par une fée emballée dans un sac de pommes de terre bleu, le coup de seringue est censé être moins douloureux. Ses doigts tout chauds butinent mes veines. Elle sent bon le printemps. Le lit se dérobe sous moi, mes muscles se détendent. Je lui dis qu'elle plante son dard avec l'élégance d'une reine des abeilles. Elle répond que les abeilles meurent une fois qu'elles ont piqué. Vous vous imaginez la rigolade si toutes les infirmières contractaient le syndrome de l'abeille… Hécatombe à six heures du matin, cadavres en blouse blanche dispersés façon jeu de quilles dans le couloir. Miss Morphine me tient dans ses bras, hors de portée des uppercuts de Mister Betterave. Elle envoie du ciel artificiel dans mes veines, je me change en oiseau de coton. La douleur s'évanouit, mon corps se disloque agréablement. Le souffle chaud de la doctoresse caresse mon cerveau, distille des envolées de plumes blanches à travers mon labyrinthe veineux. Je suis mon lit, les draps sont ma peau. Miss Morphine lèche mes globules blancs, j'ai du lait à la place du sang. Je suis enceint, je vais pondre un œuf avec un moi à l'intérieur. Dissimulé dans un panier de Pâques, Mister Betterave ne pourra plus me retrouver !

La nuit me dissimule tandis que je grimpe l'escalier de secours en prenant garde à ne laisser aucune trace de mon passage. J'opère comme un cambrioleur de songes ; il me faudra en dérober un nombre suffisant pour tenir toute la journée qui va suivre. Une mélodie s'échappe de la volière. À chaque marche gravie, le volume augmente. Pépiements pimentés d'harmonies sauvages. On dirait un orchestre de sifflements. Je pousse la lourde trappe, qui grince comme les articulations d'un géant de quatre mètres cinquante. Je découvre alors un curieux petit piano à queue en bois rouge. Sous le couvercle, une douzaine de chardonnerets dodelinent de la tête, confortablement installés sur des marteaux de feutre. Ils sont positionnés par ordre de taille. Endorphine roule ses fesses d'ange rouge sur un tabouret de coton. Ses doigts caressent les touches, ses pieds actionnent simultanément les pédales. Chaque note déclenche un pépiement distinct. Mon regard plonge entre les plumes qui ornent le roulis de ses hanches.

Elle se met à chanter, accompagnant son piano à oiseaux. Sa voix joue aux montagnes russes, elle chuchote, hulule, ponctue ses mots de cris. Opéra pour oiseaux en *la* mineur. Elle accélère le rythme et frappe de plus en plus violemment les touches. Les oiseaux sursautent, s'envolent même d'effroi. Lorsque tous les chardonnerets ont quitté le navire, Endorphine chante a capella, seulement accompagnée de battements d'ailes. Puis le silence revient. Les oiseaux se réinstallent sur leurs marteaux de feutre. La femmoiselle s'ébroue alors dans un frisson, broie un mégot de clope avec un mouvement sensuel de l'aiguille de son talon, puis se tourne vers moi.

— Ces oiseaux ont appris à mémoriser leur note en gardant toute liberté d'interprétation. Ils roucoulent en harmonie avec autant de naturel qu'un oiseau accompagnant le lever du jour. Si vous voulez apprendre à voler aussi naturellement que ces oiseaux chantent, il vous faudra faire comme eux. Ce sera la première étape de votre initiation vers une deuxième vie.

— Vous allez m'enfermer dans un piano pour me faire chanter quand ça vous… chante ?

— Ce ne sera pas nécessaire. Mais chanter est un excellent exercice pour s'entraîner à décoller. La respiration propre aux vocalises assouplit le diaphragme.

Le chant permet de détendre son corps tout en focalisant l'attention sur ce que vous voulez obtenir.

— Comment ça ?

— Lorsqu'on chante, on s'ouvre aux émotions qui nous traversent en restant connecté aux notes que l'on veut atteindre pour former une mélodie, non ?

— D'accord...

— Eh bien, pour voler, c'est la même chose ; si ce n'est qu'à la place des notes de musique vous allez devoir jouer une partition de plaisir.

— C'est-à-dire ?

— L'idée, c'est de penser de toutes vos forces à ce qui vous fait le plus de bien, à ce que vous aimez, ou aimeriez le plus... Je vais vous faire une démonstration.

Endorphine cale une Camel light entre les rubis qui lui servent de lèvres et en exhale un cumulus pour Playmobils. Je voudrais être une Camel light. Rouler entre ses doigts, traverser son palais de princesse, me transformer en fumée souple pour descendre en rappel son œsophage et lécher ses seins par l'intérieur avant de finir en fleur de goudron plantée dans ses poumons.

— Tout va bien ?

— Oui oui... je m'entraînais à penser à ce qui pourrait me faire décoller.

— Vous voulez une cigarette ?

— Non merci, je ne fume pas.

— Bon. Regardez et écoutez.

Elle appuie sur une touche et un oiseau émet une jolie note, puis elle approche ses doigts délicats du chanteur pour le caresser. Elle commence en dessous du bec et descend jusqu'à l'entre-pattes. Elle insiste assez clairement sur l'entre-pattes. L'oiseau se met à pousser un trémolo vibrant, harmonise sa première note et monte d'une octave tandis que le mouvement de ses doigts accélère de concert.

— Vous masturbez vos oiseaux !

— Tout de suite les grands mots... Je fais en sorte que leur corps draine au mieux l'endorphine sécrétée par leur cerveau. Et au passage, je leur offre une petite dose supplémentaire.

— J'accepte le deal.

— Je ne vous ai pas encore posé les conditions...

— J'accepte toutes les conditions.

— Cela ne suffira pas.

— ...

— J'apprécie la spontanéité avec laquelle vous vous livrez, mais vous n'en savez pas assez pour prendre une telle décision. Il ne s'agit pas d'apprendre à voler comme si vous vous inscriviez à un cours de parapente, mais de vous métamorphoser. Vous transformer en oiseau, corps et âme. Quitter la vie humaine pour une nouvelle aventure animale. Ce ne sera pas sans conséquences... Mais cela vous sauverait.

— Je vous écoute.

— Les métamorphoses sont héréditaires, toute ma famille est comme moi. Elles sont transmissibles par l'acte d'amour. C'est mon très-grand-père qui est à l'origine de ce phénomène.

— Votre très-grand-père ?

— Un docteur-inventeur comme il en existait au XVIIIe siècle, qui a toujours été fasciné par l'art des métamorphoses – selon lui, la seule façon de rester pleinement vivant. Lecteur assidu d'Ovide, il a travaillé toute sa vie à donner vie au concept développé par le poète latin. Devenir un être hybride entre l'humain et l'animal permet d'exacerber les sens. Lorsqu'il est tombé amoureux de ma grand-mère, celle-ci est devenue la première femme-oiseau de la famille.

Endorphine rallume sa cigarette nerveusement, crache quelques nuages de ponctuation et reprend son explication.

— Ce genre de mutation est très violent. Tout est remis en question, l'esprit devient en quelque sorte un bout de celluloïd plongé dans un bain révélateur dont personne ne connaît la composition. Le shoot d'adrénaline est si intense qu'il peut provoquer des crises cardiaques et, vu votre état de santé, je ne peux garantir votre survie. La réussite de la transformation dépendra également de votre faculté à vous laisser hanter par un autre moi, votre vrai moi. Cela revient à se surpasser. Si la métamorphose aboutit, alors vous serez sauvé. Car la maladie disparaîtra du même coup.

— Croyez-moi, je n'ai rien à perdre.

— Si. Votre humanité. Elle pourrait disparaître. Personne ne réagit de la même façon, chacun génère ses propres effets secondaires. Votre maladie vous empêchera de développer une transformation mixte. Je suis mi-femme, mi-oiseau. Je me transforme toutes les nuits et redeviens humaine tous les matins. Lorsque mon corps de femme vieillira, il s'effacera progressivement au profit de celui de l'oiselle. Le jour de ma mort, je deviendrai complètement oiseau. Mais le cancer empêchera cette progression naturelle chez vous. Seule une mutation complète vous permettra d'échapper à la mort.

— Je n'ai pas peur.

— C'est bien ce qui m'inquiète ! Je sais ce dont vous êtes capable. Ce dont vous êtes incapable aussi.

Je me sens le plus fort et le plus fragile des hommes à cet instant.

— Vous hériterez également des forces et des faiblesses de l'oiseau que vous deviendrez.

— On peut choisir ?

— Inconsciemment, on choisit. On devient ce que l'on est.

— Ce qui veut dire que je pourrais me retrouver dans le corps d'un pauvre dodo qui ne sait même pas voler ?

— Ce n'est pas impossible... Quoi qu'il arrive, vous deviendrez au mieux une étrangeté aux yeux des humains. Vous allez fasciner ou effrayer.

— Comme tous les humains qui essaient de construire quelque chose de différent, non ?

— Oui, mais dans des proportions infiniment plus dangereuses. C'est pourquoi, si vous décidez de vous lancer dans cette métamorphose, il est très important de ne jamais en parler – dans votre intérêt comme dans le mien, d'ailleurs.

— Je sais garder les secrets.

— Voici de quoi nourrir votre réflexion avant de faire le grand saut… J'avais un vieil oncle, devenu cheval, qui ne supportait plus de vivre caché. C'était un grand pinto aux yeux gris qui perdait la vue. Une nuit, il a décidé de partir à l'aventure dans les beaux quartiers parisiens. Il s'est égaré, son galop à peine ralenti par la pluie torrentielle qui faisait craquer le ciel. Je l'entends encore s'émerveiller : « Ah ! c'qu'elle est belle à minuit cette tour Eiffel, tu sais, quand elle porte sa robe en étincelles ! » Je crois qu'il avait décidé de la voir s'embraser une dernière fois avant que la nuit ne tombe à tout jamais sur ses yeux gris. Hélas, un cheval qui cavale dans les rues de Paris… Les gens le poursuivaient en voiture, klaxonnaient pour rire ou parce qu'ils étaient agacés de le voir griller les feux rouges, l'évitaient de justesse. Quelqu'un a essayé de grimper sur son dos et s'est retrouvé violemment éjecté – mon oncle n'a jamais supporté qu'on le monte. La foule est devenue de plus en plus agressive. Dix minutes après minuit, la belle Eiffel s'est éteinte. La place du Trocadéro luisait tel un lac gelé. Il n'y voyait pour ainsi dire plus. Ses sabots ont dérapé sur la chaussée trempée. Il s'est encastré contre les pieds de sa métallique dulcinée. Le lendemain matin, son corps gisait, recouvert de rosée. On aurait dit qu'il souriait. Personne n'osait approcher l'immense carcasse. Les enfants voulaient lui parler, les hommes le photographier, les femmes le toucher.

« Je vous raconte ça pour vous montrer qu'après la métamorphose, on ne peut plus jouer sur les deux tableaux. Se montrer en plein jour devient dangereux et nous expose à des situations de rejet. Mieux vaut protéger son secret. On est tout seul. Il fait froid tellement on est seul.

— Ils finissent tous comme ça dans votre famille ?

— Non, heureusement, certaines histoires finissent bien. Prenons celle de la femme-cigogne qui se cachait dans une maison abandonnée au fond des bois. Elle s'est fait tirer dessus par un chasseur pendant une phase de métamorphose. Alors que ce dernier s'apprêtait à l'achever, elle s'est mise à lui parler doucement, le suppliant de lui laisser la vie sauve. Il l'a ramenée chez lui et l'a soignée. Il s'est tellement bien occupé d'elle qu'ils ont fini par tomber amoureux.

— Où en sont-ils aujourd'hui ?

— Aussi amoureux mais plus vieux... Ce sont mes parents.

— Mais vous venez de divulguer le secret, je croyais qu'on ne devait jamais en parler !

— C'est un acte de confiance. Vous allez devoir me rendre la pareille si vous souhaitez que je déclenche votre métamorphose.

Le grincement de la balançoire ponctue ses mots comme un roulement de tambour. Endorphine ressemble soudain à une petite fille perdue qui ne peut arrêter sa machine à battre nerveusement des cils. Pour la première fois, elle me regarde dans les yeux.

« Accepteriez-vous de me faire un enfant ? »

Dans le silence, le vent reprend ses droits. Il commence à souffler à travers les branches du grand sapin qui jouxte l'hôpital.

— L'amour physique est la seule voie de transmission possible... Vous devez donc consentir à l'éventualité de devenir père, dit-elle avec une voix si fluette que ses mots s'effacent au contact de la brise. Et du même coup vous me rendriez très heureuse, comblée même...

L'effet de surprise gèle mon esprit. Cœur et cerveau en court-circuit. Un souffleur de verre tente de donner forme à mes pensées, je commence à ressentir ses étincelles.

J'ai dit que je n'avais pas peur, mais je crois que j'ai menti.

— Je vous avais prévenu, le pacte faustien, c'est du petit-lait à côté du deal que je vous propose : votre vie sauve contre une vie neuve.

Je suis sonné comme une cloche aux douze coups de minuit.

— Je n'ai trouvé personne qui ne soit pas effrayé par une femmoiselle, qui plus est désirant un enfant.

Elle caresse son ventre de plumes telle une cartomancienne sa boule de cristal. Elle parvient plus ou moins à garder contenance en s'allumant une clope. Une armée d'anges passe. Ils se prennent les pieds dans la fumée de sa Camel light.

Elle brise le silence de sa voix métallique.

— Alors, qu'est-ce que vous en dites ? Si vous préférez y réfléchir à tête reposée, je comprends. Mais si vous penchez pour le oui, n'attendez pas trop !

Je me lève, mes jambes tremblent au contact de sa respiration. J'ai le vertige. Je m'approche jusqu'à percevoir les parfums de rosée qui émanent de son décolleté. Une tempête de plumes me traverse au ralenti. Ondulations de son corps sur le mien, sensation d'habiter à l'intérieur d'un nid, de se métamorphoser en pelote de laine. Nos ombres se nouent et se dénouent à travers la poussière de lune. Elle entrouvre les lèvres avec une précision de séductrice. Ma langue explore son palais où une langue au goût de fleur d'oranger m'enrubanne comme une tresse. Ses fesses vont et viennent à proximité du piano, les touches s'enfoncent toutes seules. Les premiers soupirs s'élèvent. Frottement doux. Écarquillement pailleté de ses pupilles franches. Joie qui éventre. Je crois que je vais m'envoler, je m'accroche à ses ailes au cas où. Le rythme s'accélère, les étoiles se percutent, le ciel se pare de duvet, nous nous y roulons de toutes nos forces douces. C'est alors qu'elle réalise le plus surprenant des tours de magie, tout en méandres de hanches. Sorcellerie rouge. Je crois que je suis en train de me transformer. Nos vents se font ouragans, nos ailes claquent telles les voiles d'un cap-hornier. Extase ex æquo. Même la lune rosit. Pendant vingt-quatre secondes le monde devient plumes. Elles se posent une à une comme les flocons d'une tempête de neige au ralenti.

— Rentrez vite… avant qu'on vous change en soupe de légumes, susurre Endorphine, alanguie.

— Vous, vous savez parler aux hommes !

— Il est six heures moins sept monsieur !

— Bon, j'y vais...

— Vous n'oubliez pas quelque chose ?

J'embrasse ses lèvres comme un adolescent qui ne sait pas se servir de sa langue. Endorphine laisse échapper son rire de grelot, un silence d'apnée comique se glisse entre nous.

Je me faufile à la hâte par la trappe séparant mes deux mondes. Je perçois encore le tintement de son rire. Trois griffures zèbrent mon épaule gauche – on ne sort pas indemne d'un combat érotique avec une femmoiselle. L'air caresse agréablement la peau de mes cuisses. Aïe, mon bas de pyjama est resté en haut ! Je me servirais bien de mes ailes comme cache-sexe, j'imagine la parade que je pourrais chorégraphier au milieu des plateaux de petit déjeuner. Je chanterais *Fly Me to the Moon* de Frank Sinatra, je ferais des claquettes sur le lino, j'inventerais une comédie musicale semi-nudiste !

Mon cerveau se mobilise tout de même pour retourner chercher mon pantalon. J'ouvre la trappe sans frapper, à la hâte. L'horloge de la volière indique six heures moins trois. Mon bas de pyjama est étendu sur le lit de plumes. À côté de lui, une métamorphose est en cours. La femmoiselle avec qui je viens de passer un moment d'extrême intimité est en train de perdre son plumage. Les oiseaux du piano se mettent à pépier, ils vont me faire repérer ces cons-là !

Six heures moins deux. Ses plumes se rétractent en remontant le long de ses hanches. Ses seins défient la lune comme deux mini-casques prussiens. Le bout de mes doigts ne m'avait pas menti, je ferais un aveugle de premier ordre.

Six heures moins une. Nue, jusqu'au bout de ses pieds délicieux. Seul son visage tarde à éclore. Une partie de moi lutte pour retourner au plus vite au fond de mon lit, mais une autre, plus exaltée, m'empêche de quitter le bord du ciel. Endorphine s'allume une Camel light et s'assoit au bord du vide. Si j'attends qu'elle ait fini sa clope, je suis foutu.

Six heures. La symphonie monotone des réveils électroniques retentit dans les couloirs de l'hôpital et grimpe l'échelle métallique façon plante carnivore. Je ne bouge pas, dominé par l'envie de découvrir le visage humain de la femmoiselle. Elle écrase sa clope dans un cendrier en porcelaine alors que les étoiles commencent à s'effacer. Les plumes se dissolvent une à une dans la peau de son visage. Ses yeux se ferment, le bout de son nez, puis ses pommettes émergent. Endorphine tremble, paupières closes. Je n'arrive pas à me concentrer sur mon bas de pyjama. Quelque chose m'attire vers le ciel et un autre quelque chose me plaque au sol. Son cou est dégagé, et il a raison. Le menton ne me déçoit pas non plus. Ses grands yeux resplendissent, sa crinière brune dévale son petit dos de violoncelle.

Six heures deux. Je viens de baiser avec la doctoresse.

La nuit retire son long manteau de velours nocturne et l'étend sur la corde à linge de l'horizon. Il est six heures trois et je n'ai toujours pas de bas de pyjama. Je descends l'escalier comme un condamné à mort de bonne humeur. Dans le couloir, un chariot-repas me tend ses bras métalliques. Je prends mon élan, mes articulations rouillées craquent comme celles d'un automate. Le linoléum se change en tarmac sous mes pieds. Je plonge sur le chariot et m'y affale dans un crissement de gobelets. Les néons font crépiter leur solstice de morgue. Un banc d'ectoplasmes en blouse blanche se constitue devant la porte de ma chambre. La vitesse augmente. J'essaie d'entrer en communication avec le fantôme de mes abdominaux, qui répond que ses tablettes de chocolat ont fondu depuis longtemps. Toutes sortes d'objets dégringolent du chariot. Je bats des bras et hulule, le sol défile à grande vitesse sous les roues de mon bolide. Le banc d'infirmières se rapproche, braque ses blouses pleines de stylos-billes trop neufs sur moi. Je suis à mi-couloir. Il faut que je m'envole avant de culbuter une infirmière. Je pense de toutes mes forces à Endorphine, à ce que nous venons de vivre, à cette histoire de métamorphose, et à ce peut-être si simple et miraculeux : devenir père.

Je suis un vieil enfant. L'équilibre serait ainsi rétabli, même si je meurs avant qu'il naisse. Me voici l'homme le plus vivant du monde. Mon torse se détache du chariot. Je suis tellement euphorique que je vais traverser le plafond. Je traverse effectivement un je-ne-sais-quoi qui fait très mal au front. Je crois que j'ai oublié de chanter.

Les voix s'enchevêtrent. Quelques mots se détachent, sérieux et froids. Quelqu'un est blessé. Je distingue Endorphine dans son déguisement de doctoresse, qui discute avec ses sbires. À côté d'eux, une vieille dame gémit sur un brancard. Mes ailes sont lourdes. Un vertige me gagne alors que je suis collé au sol. La mamie tout en chignon blanc se met à crier comme une possédée.

Je traverse le couloir-tribunal au ralenti, sous les regards courroucés du banc d'ectoplasmes. Je fais de mon mieux pour masquer ma semi-nudité.

— Nous allons devoir vous déménager, monsieur Cloudman.

Endorphine s'approche de moi. Un ressac de boucles brunes dévore ses épaules d'oiseau. Je ne peux m'empêcher de penser que nous venons de faire l'amour.

— Nous vous installons en chambre stérile, pour votre bien et celui des autres patients du service. Pauline, votre infirmière, va vous aider à préparer vos affaires.

Chaque syllabe claque comme une règle sur un tableau noir. Yeux de glace, virage à cent quatre-vingts degrés sur talons, courant d'air, et puis plus rien. Je me sens trahi par cette double femme qui ment avec l'élégance d'une illusionniste. Derrière moi, la vieille tape une crise de Janis Joplin dans son brancard. Je n'ose pas me retourner. Ce n'est pas le moment de choper un fou rire nerveux.

— Vous avez lancé un chariot-repas sur Mme Sérault, elle s'est cassé un tibia ! me glisse une sbire en Scholl.

Je tente lamentablement de m'enquérir de son état mais la Scholl s'interpose.

— Vous ne croyez pas que vous en avez assez fait ? Laissez Mme Sérault tranquille, s'il vous plaît !

On sent dans sa voix une satisfaction moralisatrice, le plaisir mesquin de la mainmise. Je me tais. Mamie Chignon poursuit son concert.

Piteux, je ramasse mes plumes et les enfourne dans mes poches. Certaines appartiennent à Endorphine.

— Vous en avez même dans les cheveux ! commente une autre infirmière en étouffant un rire.

La honte rend mes gestes plus approximatifs que d'habitude, je sème la moitié de mon triste magot. Je viens de faire l'amour à deux femmes en une et maintenant elles doivent me maudire toutes les deux. Je sais qu'elle est double, mais elle ne sait pas que je le sais et ça fausse tout. Je suis pris au piège. Je ne pourrai jamais m'échapper d'une chambre stérile. Funambulisme silencieux sur le toit et visites à l'enfant-lune, terminés.

Après m'avoir laissé un bon moment dans ma chambre – où j'ai eu largement de quoi me changer et appréhender la suite –, les ectoplasmes m'escortent jusqu'à ma cellule. Je me demande qui elles sont vraiment sous leur déguisement. Certaines sont tendres même lorsqu'elles me piquent, d'autres me piquent rien qu'en m'adressant un regard.

— Voici votre nouveau « nid », monsieur Cloudman… aucun microbe ne viendra vous embêter ici, lance Pauline en ouvrant la grande porte carrée de la chambre stérile.

Je souris tristement. Je perçois dans chaque détail l'attention douce de la femmoiselle, la marque de sa main experte. Les murs sont capitonnés de plumes. Mais tout est recouvert de cellophane, et je me sens comme une tranche de dindonneau sous vide.

Le temps ralentit, le rire de la Betterave résonne sous mon crâne. Chaque mouvement déclenche une tornade de sons plasticoïdes. L'euphorie s'est changée en souvenir d'euphorie qui déjà galope au loin, sur des plaines embrumées. Je convoque l'idée folle d'être père. Elle s'allume, pétarade comme un feu d'artifice, puis s'éteint presque aussi rapidement. Père. Qui voudrait d'un dindonneau sous vide en guise de père ? Et même si je réussissais à filer entre les doigts crochus de la Betterave, je ne serais plus véritablement humain. Juste un oiseau perdu dans un désert de cellophane. Si l'enfant naît après ma mort, Endorphine devra lui fabriquer des souvenirs de moi. Il lui faudra en inventer, les siens ne sont finalement pas si nombreux. Et même s'il venait à naître avant, que pourrais-je lui apprendre, vu ma situation actuelle ? À tomber ? À devenir un animal ? Un fantôme ?

Les cristaux liquides du poste de télévision plastifié indiquent 21 h 30. De l'autre côté du mur, le crépuscule berce probablement le bâtiment dans son écrin mordoré. J'ai dû dormir à peu près toute la journée.

J'aperçois sur ma table de chevet un paquet semblable à celui que j'ai déjà reçu. Sans doute ma « récompense » pour avoir déglingué les genoux de Mamie Joplin. Je cède à la curiosité. Encore des plumes rouges. Je plonge ma main à l'intérieur et en sors un appareil photographique, un de ces objets qu'on manipule avec émotion. Il a cette odeur de jeu électronique japonais vintage. J'ouvre la petite enveloppe rouge coincée sous le présent.

Cher Tom Cloudman,

Je sais que vous devez être frustré de vous retrouver piégé. Je vous demande de chanter et vous voilà prisonnier dans une cage en plastique... Mais après l'incident d'hier, nombre de mes collaborateurs ont demandé votre transfert vers un nouvel établissement. Vous isoler a été la seule solution pour qu'ils acceptent de vous garder. Consolez-vous en vous disant que de toute façon la cancérologue que je suis aurait pris cette décision avant la fin de la semaine pour raisons médicales. C'est en effet en chambre stérile que le corps est le mieux protégé. Si la maladie gagnait trop de terrain, vous n'auriez plus la force d'accomplir la métamorphose qui pourrait vous sauver.

Vous devez aussi m'en vouloir de vous avoir caché ma double identité. C'était la condition sine qua non pour rester crédible à vos yeux en tant que médecin. Vous avez rompu cet équilibre en oubliant votre bas de pyjama dans mon nid. Mais rassurez-vous, ni la « maîtresse » ni la « doctoresse » ne vous laisseront tomber.

J'ai travaillé dur pour devenir cancérologue. Cette maladie a emporté un membre de ma famille lorsque j'étais enfant. Depuis j'ai voulu la combattre comme on se venge. Aujourd'hui encore, je ne supporte pas de voir mes patients disparaître. Mon très-grand-père m'a fait promettre de ne jamais utiliser mon pouvoir de métamorphose pour sauver quelqu'un, si ce n'est par amour. « Tu devras être terriblement prudente, me répétait-il inlassablement. Si tu déclenches une métamorphose chez un homme qui ne t'aime pas assez, ou que tu n'aimes pas assez, il se retournera contre toi, contre nous tous. Si tu fais le mauvais choix, tu engendreras un monstre. »

Je vous connais depuis plus longtemps que vous ne croyez. J'ai assisté à une de vos performances il y a quelques mois de ça. C'était dans un village, non loin d'ici. Vous essayiez d'escalader la façade d'une boulangerie afin de « décoller » du toit. Pour le moins intriguant ! Tout se passait bien jusqu'à ce que quelqu'un décide d'ouvrir ses volets… tout le monde a applaudi votre spectaculaire chute… dans un premier temps, personne ne s'est aperçu que vous aviez perdu connaissance. Les gens pensaient que cela faisait partie de la mise en scène. Je vous ai prodigué les premiers secours puis, à l'arrivée des pompiers, suis retournée travailler. Décidément, vous m'intriguiez. Le soir même, je suis venue déposer plusieurs canaris rouges au pied de votre cercueil roulant.

Peu après, vous étiez admis au service cancérologie. Je vous ai reconnu au premier regard, malgré l'absence de déguisement. Je vous observais dès que je pouvais. Je vous ai vu voler les plumes des oreillers de vos voisins la nuit, et déambuler dans les couloirs avec vos ailes cabossées. Votre nécessité d'être « autre », d'échapper à votre condition, je la comprends tellement ! J'ai commencé à ressentir le besoin de vous sauver. Tous les soirs, après votre passage, j'ai rempli les taies pillées afin que vous puissiez poursuivre votre quête. Puis je vous ai fait livrer oreillers et plumes rouges ainsi que des armatures. Enfin, la douche de plumes, pour vous mener jusqu'à chez moi…

J'ai toujours effrayé les hommes. Une femme-oiseau obsédée par la maternité, vous pensez bien… J'ai tenté de vous séduire, en essayant malgré tout de ne pas altérer mon jugement de cancérologue. Je réprimais mes sentiments le jour pour mieux les laisser jaillir une fois la nuit tombée. Tom, je veux être votre rêve et votre réalité, je veux vous sauver et je voudrais que vous soyez le père de mon enfant. Comptez sur moi, sur nous, et faites-vous confiance. Nous pouvons y arriver.

Vous avez dû trouver un étrange appareil en ouvrant le paquet… Il s'agit du « Dreamoscope », la machine à photographier rêves et fantômes inventée par mon très-grand-père. C'est un remède pour l'esprit, amusant et très efficace.

Tout le monde l'a pris pour un sorcier ou un fou – ce qu'il est, d'une certaine manière. Il vit dans une maison faite de livres, au fin fond de l'Écosse. Un atelier extraordinaire dans lequel il a passé son temps à mettre au point ses inventions. Après avoir fabriqué le « Sanglophone » – une machine capable d'enregistrer les pleurs des fantômes – il s'est mis en tête de photographier ces derniers. Après de longues années de recherches, il a réussi à mettre au point une pellicule dite « ektaplasmique », sensible à la lumière de l'au-delà. Photographier vos fantômes reviendra à les apprivoiser. Cela vous protégera d'eux – ils sont légions dans les hôpitaux.

Moteur d'accidents et de surprises, le « Dreamoscope » active également le principe de métamorphose. Les techniques de mon très-grand-père peuvent paraître étranges de prime abord, mais cet appareil m'a beaucoup stimulée pendant ma longue chrysalide adolescente.

Mon très-grand-père a découvert une autre propriété à la pellicule ektaplasmique. Il avait pris l'habitude de photographier sa belle en plein sommeil, fasciné qu'il était par son visage endormi. Un soir, par mégarde, il utilisa la fameuse pellicule. Lorsqu'il développa son film, il fut confronté à une surprise de taille : un rêve apparaissait tel un tatouage magique sur la photo. En l'immortalisant, il avait pu capturer ses rêves. La pellicule était sensible à la lumière des songes. C'est à l'aide de ce procédé que j'ai obtenu la photographie d'homme-oiseau que je vous ai fait parvenir. Il m'a suffi de photographier votre visage endormi.

Tom, je vais faire au mieux pour vous sortir de là. En attendant, utilisez le plus possible cet appareil. C'est une paire d'ailes pour l'esprit.

Faites de beaux rêves… Si vous vous y prenez bien, je vous laisserai photographier les miens.

Endorphine

Les lueurs exsangues des néons glissent sous ma porte. Le matin est en avance. Je n'ai presque pas dormi. J'ai chassé les fantômes toute la nuit avec l'appareil photo d'Endorphine. Je n'ai pas réussi à capturer la Betterave. Si elle accepte de se montrer à la lumière d'un scanner, cette maladie est bien trop réelle pour se laisser amadouer par un Dreamoscope. Elle attaque si fort que je me surprends à vérifier le branchement de ma perfusion. J'ai peur. J'ai beau penser à ce rêve de paternité qui se métamorphose au contact d'Endorphine, j'ai peur. Jamais la Betterave ne m'avait acculé de la sorte. Elle perce des trous dans le ventre. La douleur est telle que je n'ose plus bouger. Alors je tremble en attendant l'accalmie. Mes paupières se changent en rideau de velours, je n'ai plus la force de les ouvrir entièrement.

Pourtant, une sensation de coton tendre sous les omoplates me submerge. D'abord, je me dis que j'ai dû oublier de retirer mes ailes, mais elles sont là qui pendent tranquillement sur leur cintre. Un duvet translucide commence à recouvrir ma peau ! Suis-je en train de me transformer en poussin, ou... en coussin ? Je passe le bout de mes doigts sur mes avant-bras, une vague d'euphorie m'envahit.

Pauline pénètre dans ma chambre, couverte de cellophane. Je me cache sous les draps. La doctoresse entre à son tour, pour contrôler les résultats de mes analyses et voir comment je vais. Elle porte merveilleusement la combinaison de plastique souple qui me prive de tout contact avec sa peau. Lorsqu'elle s'approche du lit, je sors de ma cachette. Ses doigts se promènent sur mon pyjama pour vérifier ma tension. Ses yeux clignotent, sa respiration est courte. Je sais qu'elle prend conscience de ma métamorphose. Lorsqu'elle prétend que mon état s'améliore, je vois bien que ce n'est pas la doctoresse qui s'exprime, mais Endorphine. Pauline ne peut réprimer une grimace de surprise en lorgnant vers le tableau des analyses. La femmoiselle déguisée en docteur Cuervo laisse traîner ses ongles sur mon avant-bras duveteux.

— Vous réagissez on ne peut mieux au... traitement, monsieur Cloudman. Vous risquez d'avoir quelques effets secondaires, mais l'alchimie... enfin, la chimie... fonctionne à plein.

Elle quitte ma chambre en ajoutant :

— Je suis contente... vraiment !

Pauline la regarde partir comme si elle voyait passer une extraterrestre. Ce qu'elle est peut-être.

Toute la journée, l'appareil posé sur la table de chevet m'attire. J'ai hâte de voir ce que le film révélera. Je guette les apparitions de la doctoresse tel un oiseau de proie. Dès qu'elle se matérialise dans le hublot de ma porte, je la photographie. Je ne peux voir que sa tête et son buste. Je voudrais la picorer, me rouler dans ses bras. Elle défile pour moi deux, trois fois par jour, selon les flux et reflux de malades dont elle doit s'occuper. On dirait qu'elle se déplace en rollers. Si seulement tout le monde pouvait déambuler en patins à roulettes dans cet hôpital… Le lino se changerait en patinoire et on assisterait à de merveilleux carambolages. Le soir venu, on organiserait des championnats de danse en déambulateur. Une espèce de ballet roulant, où les infirmières tangueraient d'un mur à l'autre, où tous les malades seraient shootés à l'euphorie. J'irais planquer des roulettes sous l'hôpital pour qu'au premier coup de vent il parte à la dérive. On pourrait le diriger comme un immense skate-board : tout le monde s'agglutinerait dans l'aile sud, et vogue le navire ! Les arbres s'inclineraient pour le laisser passer. Direction l'Océan. En lieu et place de la sempiternelle promenade dans le parc, nous pourrions danser sur la plage !

La Betterave se remet soudainement à planter ses clous. La douleur se manifeste souvent lorsque mon esprit vagabonde. Elle est capable de m'enfermer dans la réalité en quelques instants. Mais le fol espoir de métamorphose clignote encore. Ce duvet de poussin qui dévore mon épiderme m'offre la sensation d'être toujours en cavale. Pauline ne peut s'empêcher de le fixer en s'efforçant de faire comme si de rien n'était.

La nuit tombe, je la sens s'épaissir juste derrière le mur. Une énergie nouvelle me gagne. Je me sens téléguidé par l'oiseau qui prend possession de moi. Il branche mon cerveau gauche et mon cœur en direct. J'échappe presque volontairement à mon contrôle. Sensation étincelante ! Envie de courir de toutes mes forces jusqu'à m'envoler. Je sifflote sans m'en rendre compte. Les immenses fesses de Pauline me font l'effet d'un brownie. Je n'ai pourtant jamais trop aimé ce genre de gâteaux. Je presse de façon insistante le bouton qui me relie aux infirmières. L'une d'elles débarque et me demande gentiment le pourquoi de cette sollicitation. Je siffle maintenant comme une bouilloire, je n'arrête plus de monter dans les aigus. Pauline se bouche les oreilles, je saute dans ses bras. Elle se débat, je fais tomber ma perfusion. Elle crie, je chante à tue-tête, couvrant sa voix, et je lui roule une gigantesque pelle en la jetant sur le lit. Preuve en est que je recouvre mes forces, car la dame doit peser le double de mon poids. Son énorme poitrine agit comme un chauffage électrique contre mon torse. Un éclair de surprise désespérée traverse son regard. Je bondis hors de ma cellule, cours, tente de décoller, m'étale sur le lino, me révèle oiseau pas tout à fait terminé.

Je fais irruption dans la pièce où se réunissent les infirmières en secouant mes ailes-bras, le Dreamoscope autour du cou. Sursauts. Pour les rassurer sur mes intentions, je leur chante *Blue Moon* d'Elvis Presley. Il y en a une qui connaît les paroles et qui commence à fredonner. Les autres sont effrayées. Je les photographie puis me mets à les butiner toutes. Les vieilles en papier mâché, les ventripotentes avec lunettes à double foyer, les presque-belles à chignon, je ne peux plus m'arrêter. Certaines hurlent, d'autres rient, l'une d'elles appelle le service de sécurité. Une équipe de rugbymen en blouse bleue débarque au pas de course. Je me perche sur le bureau, dérape légèrement sur un classeur ouvert, tente de me rattraper à l'ampoule nue qui pend au lustre du plafond, me brûle les doigts, arrache le fil et me transforme pour la deuxième fois d'affilée en crêpe intégrale. Les rugbymen bleus me portent en triomphe jusqu'à ma cellule et m'attachent fermement au lit. Je leur demande si je peux les photographier. Le temps s'arrête un quart de seconde, ils prennent la pose et quittent gentiment la chambre. Je clos *Blue Moon* par un hoquet.

J'ai vomi sur mes ailes ce matin. Le retour à la réalité ne s'est pas fait attendre, comme à l'époque des cascades. L'adrénaline qui irrigue mon cerveau avait anesthésié la douleur, mais une fois l'euphorie retombée, le printemps des hématomes s'est installé. J'ai du mal à assumer ce qui s'est passé hier. On prend ma tension, on me pique, on me donne à manger et c'est terriblement embarrassant. Personne ne fait allusion à ma crise de câlins sauvages. Je les en remercie en silence.

La Betterave gagne du terrain. Elle envoie des hélicoptères en mission dans mon estomac, et tant que je ne dégueule pas ma soupe en silicone, elle continue. Par contre, mes plumes se font soyeuses, épaisses, longues. Pauline n'ose pas me regarder dans les yeux. Les aides-soignants non plus. Mon duvet qui bourgeonne les rend manifestement mal à l'aise. Endorphine m'a demandé de me photographier régulièrement, pour que je prenne conscience de l'avancée de ma métamorphose. Quand je n'en ai pas la force, je caresse mes nouveaux avant-bras du bout des doigts. Parfois même, je m'endors.

« *Happy birds day to you... happy birds day to you Mister Cloudman...* » Suis-je en train de rêver ? Cet appareil magique enregistre-t-il aussi les songes sonores ?

La porte s'ouvre, une main gantée recouvre la poignée. Endorphine apparaît. On dirait une tueuse en série s'apprêtant à faire la vaisselle. Son corps s'approche du mien, ses ailes recouvertes de plastique s'enroulent autour de mon cou. Bruits de combinaison de ski. La femmoiselle sort un bout de tissu de son décolleté... Bout de tissu qui n'est autre que le bas de pyjama resté dans son nid...

— C'est pas en te déguisant en préservatif géant que tu risques de tomber enceinte, dis-je pour faire fuir l'ange qui passe.

— Patience... on a pris un tour d'avance, n'est-ce pas ? Qui sait, peut-être que la première prise sera la bonne, comme avec certains acteurs. Comment te sens-tu, aujourd'hui ?

— Mes crises de ciel sont de retour, plus violentes et incontrôlables que jamais. Hier je me suis transformé en obsédé du pelotage avec les infirmières...

— Cela fait partie du processus. Des effets secondaires, en quelque sorte. Essaie de les canaliser sans pour autant te brider.

— Facile à dire…

— C'est important pour ne pas te perdre en route. La légende dit que Charlie Chaplin et Adolf Hitler se changeaient en lion à la nuit tombante ; l'un a concentré son énergie vers la création, l'autre vers la destruction. Pourtant, dans leur forme animale, il était quasiment impossible de les discerner l'un de l'autre.

— Je ne tiens pas le monde entre mes mains, moi…

— Tu as le tien.

— Tu ne peux vraiment pas retirer ce complet de cellophane, ne serait-ce que quelques minutes ?

— Si, je pourrais, mais interdiction de me toucher. Tu dois rester à l'écart des bactéries, même des miennes...

Je fais signe que j'accepte ce nouveau deal.

— Sûr ?

— Sûr !

Endorphine s'effeuille. Bruissements de paquet de bonbons, cette fois. Son plumage bleui par la nuit ondule. « *Happy birds day to you…* », roucoule-t-elle de nouveau. Je plante mes doigts dans le matelas pour ne pas bondir sur elle. Mon duvet se charge d'électricité statique. Je saisis le Dreamoscope posé sur ma table de chevet pour canarder son corps dénudé sous tous les angles. Endorphine se prête au jeu, volette au-dessus de ma tête, se pose au plafond, traverse le ciel de ma chambre avant d'atterrir délicatement au bout de mon lit. La pellicule est terminée, le tour de manège aussi. Endorphine renfile en vitesse sa combinaison plastifiée et se love bruyamment contre mon dos.

— Il faut que je rentre, maintenant, je ne peux pas me permettre de reprendre forme humaine ici, je n'ai pas de vêtements…

— Une chose. Pourrais-tu aller voir si le petit Victor ne fait pas encore le pied de grue dans l'escalier ? On se donnait rendez-vous à 22 heures tous les soirs et je ne peux plus me déplacer.

— Je lui ai rendu visite hier. Je lui ai expliqué que tu travaillais dur à améliorer tes pouvoirs et que tu reviendrais bientôt.

Endorphine m'étreint. Crissement de plastique, maintenant. Le silence qui s'ensuit, à peine troublé par les machines à retarder la mort, est presque apaisant. Ma main plumetée et la sienne, emballée sous vide, s'assemblent gentiment.

Ces dernières semaines, la Betterave et la métamorphose se sont livrées à une véritable course contre la montre. Les pulsions de ciel frémissent si fort que j'ai parfois l'impression de décoller avec tout ce putain d'hôpital sur le dos. Et l'instant d'après, c'est comme s'il s'écrasait sur ma colonne vertébrale. La Betterave profite de ces moments de découragement pour couler du plomb entre mes os. Alors je chante, jusqu'à ce que la tête me tourne et que mes bras deviennent des ailes. Je me déploie au bord du lit, m'imagine atteindre la salle de bains sans toucher le lino. Le plus souvent, je termine ma course au pied de la lampe de chevet en entraînant la guirlande à perfusion dans ma chute. Hier, je me suis endormi par terre. Pauline a menacé de m'attacher au lit. Je me suis docilement glissé sous les draps, je crois que ça l'a rassurée. Je l'ai entendue parler avec la doctoresse dans le couloir. Elle insiste pour qu'on me laisse beaucoup dormir. Je ne me souviens plus de la dernière fois qu'on m'a réveillé.

— Bonjour, monsieur Cloudman. Je vous ai amené quelqu'un qui désirait vous voir…

Victor est là, avec son chapelet de perfusion et ses grands yeux nuageux. J'écarte les bras, bombe le torse et fais semblant de m'envoler en réprimant une quinte de toux. Au lieu de ça, je m'écroule lamentablement.

Pauline feint un sourire d'encouragement. La façon dont ses cils enveloppent ses yeux brouillés d'émotions contradictoires m'encourage à me relever. Victor n'ose pas s'approcher du lit. Son regard est vide, il ne me reconnaît pas.

— Allons Victor, ne fais pas le timide, donne-lui ton dessin !

L'enfant-lune s'exécute en silence, tête baissée. Il me tend sa feuille de papier, mécaniquement. On dirait qu'il vient d'être puni. Son dessin représente un gros poussin jaune qui en tient un plus petit entre ses pattes. Je remercie Victor tandis que Pauline s'empresse de l'accrocher au-dessus de mon lit. Le silence est de retour.

— Ben alors Victor… Tu as perdu ta langue ? Tu voulais tellement voir ton « Homme-Nuage »… Il est là, devant toi ! dit-elle en s'agenouillant face à lui.

Elle pose chaleureusement ses mains sur ses épaules minuscules.

— Vous voulez que je vous laisse un peu tous les deux ? demande-t-elle.

Victor secoue la tête en regardant ses chaussures pour dire non. J'ai l'impression d'être l'arrière-grand-père ravagé qu'on est obligé d'aller voir même s'il fait un peu peur.

Pauline quitte la pièce en prenant Victor par la main. La porte claque. Un reste d'orgueil surgit entre les plis de mon pyjama froissé. Je me redresse comme on déplie un parapluie cassé.

Si je reste encore dans ce lit, mes bras vont se transformer en draps ! Je vais devenir un fantôme sans même m'en rendre compte. Je tangue jusqu'à la salle de bains, ma grande aventure de la journée. J'atteins péniblement le lavabo et me hisse à hauteur de la glace. Ma peau est couverte de plumettes rougeoyantes. Quelqu'un a creusé mes pommettes pour y enterrer mes yeux. Je suis effrayant. Effrayé. Je ris-pleure-crie. Je suis en train de devenir « autre chose ». Ce n'est pas possible ! Ce miroir doit être truqué ! Il agit comme un révélateur, de la même façon que le Dreamoscope. Mais ce cauchemar ressemble terriblement à la photographie de mon rêve. Il pleut dans ma tête. Crise de chrysalide. Je plisse les yeux, reconnais l'esquisse de mes traits sous les plumes. L'espoir d'un repère s'allume. Je tente de me parler, de me rasséréner. Mes cordes vocales réagissent de plus en plus capricieusement à mes tentatives de cris. Ça siffle, vibre, stridule. Je m'entraîne dans la salle de bains, qui en réverbère plutôt agréablement le son.

J'observe à nouveau mon reflet. Miroir, mon beau miroir de salle de bains… je sais bien que je ne suis pas le plus beau, mais est-ce que je ne vais pas devenir un inconnu même pour moi-même ? Quelle est la prochaine étape ? Qu'est-ce que je vais devenir ? Je me photographie pour fixer l'instant. Pour me rassurer aussi, peut-être. Endorphine m'a mis ce Dreamoscope dans les mains afin d'activer le principe de surprise, comme elle dit, mais il me sert également de repère temporel. J'ai besoin de temps pour accepter sereinement la métamorphose qui s'opère en moi, pour prendre un peu de distance, ainsi que du plaisir, à l'idée de me transformer. C'était tellement plus facile lorsqu'il s'agissait seulement d'un fantasme ! Je suis en train de devenir « ce que je suis » et cette réalité me fait peur.

Je pose mon corps-édredon sur mon lit, il faut que mon cœur arrête de jouer de la batterie. J'essaie de reprendre mon souffle…

Un bataillon trottinant d'infirmières mi-agacées mi-tristes se pointe, proposant un peu de chimie ramollissante. Pauline entre en premier. Elle prend le temps de m'observer avant de baisser les yeux. Ses sœurs de blouse me regardent comme si j'étais un enfant mort-né. L'une d'elle laisse échapper un cri de stupéfaction, pendant qu'une autre cesse carrément de ventiler. Elles ont beau tenter de m'épargner, leurs yeux inquiets me transpercent. Je ne peux plus m'arrêter de trembler. Pauline s'approche et me pique. Les aiguilles sont toujours aussi douloureuses, malgré la couche de duvet qui recouvre désormais tout mon épiderme. La Betterave contemple mes soubresauts, assise sur la télé éteinte. Les infirmières repartent en rangs serrés, au trot.

Mamie Morphine vient de donner un coup de fer à repasser sur mes nerfs et ses effets commencent à se faire sentir. Mes os ramollissent, j'ai l'impression de léviter au-dessus de mon lit.

— Rêverais-tu de voler si tu pouvais vivre en apesanteur ?

— Qui me parle ?

— Je suis ta montagne à gravir, ta forêt hantée à traverser, dit le quelque chose à grosses fesses fuchsia posé sur la télé.

On dirait Jabba the Hutt dans *Star Wars*. Il a des petits yeux tout rapprochés, un groin énorme, une bouche en étoile d'où sort une voix de berger allemand :

— Tu aimes faire des strikes au bowling ? La joie intense que provoque le pouvoir de tout exploser ? Je suis plus léger et vole plus vite et plus haut que toutes tes saletés d'oiseaux. Tu sais pourquoi ? Parce que je ne connais pas la glu de l'émotion. Je n'aime pas, je ne déteste pas, je ne me venge pas, je ne calcule pas. Je joue au bowling avec des humains et je fais des milliers de strikes par jour. Et tu veux que je te dise ? C'est le plus grisant des jeux.

— Je ne t'ai pas attendu pour éprouver mes limites.

— C'est ce que tu crois, mais ça fait bien longtemps que je me promène dans ton estomac. C'est toi qui m'as appelé... Tu as tellement maltraité ton corps avec tes cascades ridicules ! J'adore les humains comme toi bouffés par le stress, vos cellules sont prémâchées. On peut vous grignoter en regardant la télé sans même y penser. J'attendais juste que tu sois à point pour venir te cueillir. Tu as misé sur ton cœur en négligeant tes nerfs et tu les as complètement bousillés. La nervosité que tu parvenais à transformer en énergie dans ta jeunesse est en train de se retourner contre toi. Elle a le doux parfum du sang qui se mêle à l'écume lors d'une attaque de requin.

Betterave s'avance vers moi et passe ses ongles pleins de cambouis dans mes cheveux.

— Tu es fin prêt, al dente.

— J'ai un plan d'évasion pour te filer entre les doigts. Tu ne m'auras pas.

— Ah oui ? J'attends ce dernier spectacle avec impatience ! Qu'est-ce que tu vas inventer pour te rater cette fois ? Tu sais, dit-il en prenant une horripilante voix d'enfant, je pourrais te défoncer l'estomac à coups de pioche dans la seconde si je voulais...

Il se met à chantonner en mode comptine :

— *Tes poumons se rempliront de sang, mon enfant, tu te laisseras étouffer dans les bras de Morphine sans que j'aie à me fatiguer…*

Puis il reprend avec sa voix de berger allemand :

— Qu'est-ce que tu crois ? Que tes ailes à la con et ta semi-pintade là-haut te permettront de me résister ? Tu me fais pitié. Ils y vont tous de leur théorie psychosomatique, ça les rassure d'imaginer que peut-être le cerveau humain regorge de trésors magiques qui pourraient me faire reculer… Eh bien non ! Je te garantis que non. Même les miraculés, c'est moi qui les ai laissés filer : par étourderie ou par lassitude…

— Bonjour Tom ! Comment te sens-tu ? dit la doctoresse sur un ton radieux.

— Il... il est parti ?

— Qui ça ?

— Betterave !

— Je ne vois ni betterave ni poireau ici.

— Il était assis sur la télé !

— Ce doit être les effets secondaires de la morphine, ça ne va pas tarder à s'estomper.

— C'est justement ce qui m'inquiète !

— Le temps des inquiétudes est révolu, Tom. Si tu veux bien, ce soir tu prendras ton premier bain de ciel. Tiens-toi prêt à décoller à minuit pile.

— Vraiment ? Tu crois que je suis prêt ?

— Je pense que c'est le bon moment pour un baptême, oui.

Elle s'avance, jette un coup d'œil vers la porte et dépose un baiser sur mes lèvres desséchées. Même bruissement de paquet de bonbons avec interdiction d'en déguster le contenu.

— J'ai l'impression de trahir la femmoiselle en t'embrassant.

— Je suis une femme passionnée, mais pas au point d'être jalouse de moi-même ! Veux-tu que je développe tes photos ? dit-elle en regardant les films posés sur ma table de chevet.

— J'ai un peu peur de voir ce que ça pourrait donner…

— C'est précisément l'effet recherché ! Plus tu te prendras au jeu, plus tu activeras le principe de surprise. Je ne connais pas meilleur combustible pour donner de l'impulsion à ton esprit. Et plus il sera en mouvement, plus ta métamorphose s'accélérera.

— Cela ne remplacera jamais le toucher. J'ai besoin de te toucher.

La doctoresse-oiseau danse vers la porte de la chambre, qu'elle ferme à clé tout en activant l'interrupteur « interdiction d'entrer pour cause de soins ». Mon plumage frissonne comme si ses doigts plastifiés fabriquaient un vent d'orage à même la peau. C'est la première fois que nous atteignons une telle intimité en plein jour. Elle me demande de fermer les yeux. J'en laisse un ouvert. Endorphine se saisit de mes oreillers et les éventre au-dessus de moi. Il neige sur ma tête, à l'intérieur aussi. Elle ramasse les plumes et les colle par petits paquets sur ses mains et son visage.

« Garde les yeux fermés, Tom Cloudman » me glisse-t-elle à voix basse. Je m'exécute et commence à l'imaginer. Je me revois dans son nid. Ses doigts s'emparent de moi dans un tumulte de douceur. Les miens devinent son anatomie courbe, elle me guide vers les parties qu'elle vient de recouvrir de plumes. Le placebo est assez efficace. Je voudrais lui déclarer l'incendie que je ressens pour elle. Je me lance, comme dans une cascade.

— Je voudrais t'offrir mes spermatozoïdes…

— Pardon ?

— Je voudrais que tu les conserves, on ne sait jamais… Quand bien même l'autre jour sur le toit, quelque chose se serait mis en route… Vous auriez de quoi continuer d'agrandir la famille.

— Tu veux que je stocke tes spermatozoïdes ?

— Oui ! Comme du bon vin, dans une bouteille avec le millésime !

— Et sur l'étiquette, un résumé de ton parcours de plus mauvais cascadeur du monde et un label garantissant que ces spermatozoïdes sont bien les tiens ?

— Exactement, cela me rendrait presque immortel.

Tom Cloudman s'est endormi entre mes bras.

Sa métamorphose prend corps. Le duvet s'épaissit, carmin. Mais son corps d'oiseau est encore loin de l'éclosion et celui d'être humain est au bord de l'implosion. Dois-je miser sur sa capacité à se transformer et favoriser l'oiseau en lui, ou dois-je au contraire défendre le plus longtemps possible son corps humain ? Nous arrivons à un moment critique où le traitement métamorphique pourrait le tuer d'un jour à l'autre. L'oiselle et moi nous crêpons notre chignon commun. Je le sens bouillir juste au-dessus de mon crâne. Un monceau de responsabilités s'accumulent sur mes épaules. Si je tente le tout pour le tout en jetant Tom en plein ciel et qu'il ne supporte pas le choc, je me le reprocherai toute ma vie. Mais je ne peux plus reculer, et lui non plus. Car s'il devait faner dans sa chambre stérile avec la sensation d'être abandonné, je m'en voudrais plus encore.

Je me réveille en plein jour. Une sensation douce caresse ma peau. Ça y est, je suis un plumier. On pourrait faire la poussière de l'hôpital en m'agitant dans les coins. Je retire mes ailes collées au sparadrap, le déguisement ne me sert plus à rien. Je caresse mon crâne avec difficulté mais c'est presque aussi doux que les mains d'Endorphine. Une douleur sourde envahit mes omoplates. La doctoresse dit que c'est bon signe, les ailes seraient au bord de l'éclosion.

Victor a demandé de mes nouvelles. Endorphine lui a expliqué que j'étais en phase de chrysalide, comme les papillons.

— Est-ce que ça fait mal ? a été sa seule réaction.

— Êtes-vous prêt pour le grand décollage, monsieur Cloudman ? chuchote une voix dans mon presque sommeil.

— Oui !

— Attends-moi ici quelques instants.

Je ne vois pas où je pourrais partir, je ne tiens même plus sur mes jambes ! Je danse une seconde de twist involontaire et m'écroule comme un château de cartes.

À ma très grande surprise, Endorphine réapparaît flanquée de Pauline. Ma revêche de service fait donc partie de cet étrange commando. Je dois reconnaître que son comportement a évolué depuis que je lui ai butiné la gueule, l'autre soir.

— J'ai dû demander un peu d'aide à une personne de confiance pour nous assurer un minimum de tranquillité. Elle a accepté de faire le guet pour nous.

Endorphine me tend alors une paire de ciseaux de couture.

— *It's time, Mister Cloudman… It's time !*

Je découpe sa combinaison de cadavre, les lames glissent dans le plastique. Je prends le temps d'effleurer sa peau. L'intensité du plaisir que je ressens me remplit de force, mes membres engourdis retrouvent quelque tonicité. *Happy birds day to me !*

— Bien, très bien… Pauline ? Rien à signaler ?

— Non, tout est calme ! chuchote-t-elle sur un ton étonnamment espiègle.

La doctoresse me rejoint et ferme la porte derrière elle. Elle sort de son corsage une flasque rectangulaire comme on en voit dans les westerns. Elle la secoue devant mon nez de façon à ce que je puisse déchiffrer l'étiquette : « Spermatozoïdes Tom Cloudman, cuvée nocturne, certifiée authentique ».

— Il faudra remplir tout ça, monsieur Cloudman, si vous voulez assurer votre descendance ! dit-elle en retirant sa blouse.

Elle porte la tenue des grands soirs, aigrettes prises au piège de ses bas résille, cils chauve-souris et rouge à lèvres à réveiller les morts. Ses talons aiguilles vertigineux laissent penser qu'elle a dû prévoir de voler plutôt que de marcher, ce soir. Les plumes de son corsage glissent les unes sous les autres à chaque mouvement de ses seins. Si elle continue comme ça, je vais m'envoler tout nu, me cogner au plafond et mourir de plaisir !

J'entends le bruit d'un chariot-repas qui roule dans le couloir.

— Est-ce que tu peux te lever et te diriger vers le couloir ? demande ma femmoiselle.

— Si je débranche mon cathéter, peut-être.

— Tu peux le débrancher.

Lorsque je le retire de mon propre chef, j'assume le geste. Mais maintenant qu'elle prend les devants, j'ai le vertige.

Je sors de ma cellule en pyjama. L'ascension de l'escalier en colimaçon me semble plus raide que la dernière fois, les bras de secours sont les bienvenus. Je retrouve enfin le bord du ciel.

Victor est là. Il porte un costume de Spider-Man, quelques tubes en plastique sortent de ses manches. Il sourit comme une lune de dessin animé et crie « Mégatom Cloudman est de retour ! ». Me voilà rempli à ras bord de trac.

— Voici ton assistant décollage, s'exclame Endorphine

Le chariot-repas est méconnaissable. Des dizaines et des dizaines d'oiseaux sont posés sur les branches de cet arbre à roulettes. Ils pépient comme un groupe de copines du sud de la France qui sortent du cinéma.

— Cela te donnera un peu d'élan, dit-elle en le désignant de l'aile. Prenez place, s'il vous plaît, ajoute-t-elle le plus sérieusement du monde.

Pauline se met à applaudir. Une métamorphose comique est en cours chez cette infirmière.

Je me glisse sur l'ex-chariot à repas, le trac déborde, mon cerveau siffle. Peur joyeuse. Les secondes s'égrènent. Mon cerveau bat contre mes tempes. Le corps devient tremblement de terre. Il faut à tout prix éviter aux doutes de s'immiscer, ce n'est plus le moment ! Car c'est le temps des grandes métamorphoses.

Pauline s'affaire à m'attacher un bouquet d'oiseaux autour de chaque bras. Des brassards pour nager dans les nuages ! Je passe d'une sensation d'invincibilité à en faire pâlir Superman au ridicule d'être condamné, inconscient du danger que j'encours et très bizarrement accoutré.

Les deux cent cinquante sizerins s'ébrouent, le chariot se met à vibrer, le ciel aimante le bout de mes doigts.

— C'est toi qui conduis, Tom Cloudman ! me glisse l'enfant-lune, mi-euphorique, mi-inquiet.

Endorphine prend place derrière son piano à oiseaux. Elle chante une mélodie d'un autre temps, semble convoquer le fantôme de Nina Simone pour venir à mon secours. Sa voix sonne comme le plus joyeux des glas, déclenchant l'armée rouge des sizerins, moi y compris. Les fils se tendent entre mon corps et là-haut, cent vingt-six paires d'ailes fouettent le bord du ciel. Ils se positionnent en rangs serrés, formant deux gigantesques ailes vivantes. Deux cent cinquante mélodies s'entrechoquent. Je chante avec eux. Endorphine accélère le tempo. Pauline pousse le chariot. La vitesse augmente.

— Commence à battre des ailes sans te crisper. Regarde droit devant et connecte-toi à l'intensité de tes plus profonds désirs, scande Endorphine.

La clameur des chants d'oiseaux s'intensifie, la vitesse augmente encore. Le bord du ciel approche, les fils tirent sur mon corps, je suis presque en apesanteur. L'enfant-lune lance des « youhou ! » de montagnes russes.

— Donne tout ce que tu as, maintenant ! assène la demoiselle oiseau.

Le parterre de plumes défile à une vitesse effrayante sous les roues du chariot, Pauline a des hélices à la place des cuisses.

Je me hisse de toutes mes forces, sifflant à gorge déployée, les yeux fermés.

— Il faut que je te dise une dernière chose très importante…

— Vite !

— Je suis enceinte…

Feux d'artifice dans mes veines. Je suis l'homme le plus vivant du monde ! Je viens de naître ! Phénix en pyjama ! Je me détache du chariot. La femmoiselle et l'enfant-lune poussent des cris de joie légèrement angoissés. L'hôpital rapetisse. Sur le toit, Pauline, Endorphine et Victor se changent en Playmobils, en insectes Playmobils, en petits points noirs, puis en rien. Je secoue les airs avec vigueur. Ma cohorte d'oiseaux est silencieuse, on n'entend plus que le vent fabriqué par leurs ailes. Je deviens l'incendie de toutes mes émotions. Les larmes court-circuitent le rire, le sourire tremble en attendant le nouvel assaut d'émotions.

J'écorne le sommet du sapin céleste sur lequel les étoiles sont accrochées. Elles tomberont en pluie argentée et inventeront mille reflets nouveaux. Joie ! J'entre dans le miroir de vent. La nuit est immense, le silence a une odeur de comète. Je sens la griserie me pervertir agréablement. Tant que je suis encore conscient de l'évolution de mon état je garde le contrôle, mais j'ai une envie irrésistible de me perdre. Piloter, ouvrir le robinet à transse et m'y noyer pour prendre de la hauteur. Puis rétrograder en mode contrôle pour faire durer le plaisir. Un cumulonimbus cotonneux veut m'envelopper. La lumière de la lune rebondit dessus, faisant pétiller ses cristaux. Je le traverse les yeux ouverts. La joie mêlée à l'air frais produit des larmes d'excellente qualité. Je suis la pluie, demain j'apprendrai à fabriquer la neige !

Soudain un nuage noirâtre bouche l'horizon, colosse de fumée sombre. Le vent siffle avec ses deux gros doigts enfoncés dans la bouche du ciel. Les oiseaux de secours freinent. Je suis comme aimanté par ce cumulus bilieux. Le nuage enfle, se multiplie, roule et s'enroule autour de mes ailes. Les limbes se densifient, les cris du vent s'épaississent. Je n'y vois plus. Le sanglot musical s'intensifie, la foudre ponctue sa litanie. Le vent me bâillonne, je ne parviens plus à émettre la moindre note. Quelques poussières lumineuses apparaissent au cœur de l'opaque. Elles s'enroulent façon pelote de laine électrique. J'ai envie de les voir de plus près, d'écouter encore ce chant de glace venant du fond du nuage. Sont-ce des fantômes d'oiseaux ? La naissance des flocons de neige ? Je ne bats plus des bras mais glisse en apesanteur.

La voix d'Endorphine me sort de ma torpeur, les oiseaux de secours me tirent puissamment en arrière.

Le nuage se dilue mais le vent me chahute de nouveau. Je distingue la femmoiselle à travers les dernières strates nébuleuses qui me séparent de la surface. Elle est attachée à moi avec les oiseaux de secours. Les filins de brume se distendent enfin. Le nid d'Endorphine brûle comme un astre rouge sous nos pieds. Je crois que j'ai perdu une chaussette dans les nuages.

J'ai raccompagné Tom dans sa cellule, ai rebranché son cathéter. Il s'est recroquevillé, secoué de spasmes. J'ai attendu qu'il plonge dans un sommeil suffisamment profond pour lui installer un tuyau à oxygène dans le nez.

Il entre dans une nouvelle phase de la maladie, la phase terminale. Mais sa métamorphose tient la route, elle, toutes ses pulsions l'extirpent de son corps malade. Sa périlleuse session de vol a aiguisé sa confiance, lui faisant prendre conscience de l'étendue de ses nouvelles possibilités. Le raisonnable s'éloigne de son système de pensée.

Victor m'aide à défaire le sac de nœuds d'oiseaux dans lequel Tom s'est empêtré. Il a du mal à accepter que son Homme-Nuage puisse être si vulnérable. Ses propres angoisses en sont décuplées. J'essaie de lui expliquer que le véritable super-héros n'est pas sans failles, mais trouve des solutions pour les transcender. Je travaille dur à le rassurer. À me rassurer aussi, probablement.

Tom s'est réveillé en début de soirée. Ses plumes ont encore poussé, seul son visage n'en est pas entièrement recouvert. Je l'ai surpris en train d'essayer de coiffer la houppe plumetée qui orne désormais le haut de son crâne. Il est sorti de la salle de bains étrangement ébouriffé.

Ses analyses indiquent un nouvel affaiblissement de son état de santé humain. Au fil des jours, il devient de plus en plus incontrôlable, il pleure et rit en même temps, siffle comme un véritable oiseau. Le passé, le présent et le futur semblent condensés dans la même seconde. Il parle de moins en moins, dort de plus en plus. Certains vous diront qu'il devient fou. J'aime à penser qu'il vole en enfance et va renaître en phénix.

Lorsque je le kidnappe pour ses sessions de vol nocturnes, il essaie de toutes ses forces de m'écouter, de me témoigner sa gentillesse, mais son instinct animal l'emporte. Il se recroqueville contre ma poitrine pour s'endormir et roucoule.

Il rapetisse, c'est flagrant. Son corps commence à lui aller trop grand. Sa gestuelle se modifie. Les mouvements de son cou deviennent saccadés, ses épaules s'inclinent vers l'avant.

Victor me demande régulièrement si Tom va devenir un oiseau en entier. Et s'il le reconnaîtra quand il le sera… Et est-ce qu'il pourra le « garder ». Je laisse échapper des « oui » minuscules. Rassurer, rassurer encore et toujours.

Mais je ne le suis pas, rassurée. Je ne connais pas les effets d'une métamorphose intégrale. Je suis une sorte de métisse, du sang humain coule dans mes veines. Lorsque le jour se lève, je dois me réadapter physiologiquement, psychologiquement et socialement à une réalité de femme. Que serais-je devenue si ma mutation avait été totale ? Est-ce que je me battrais avec les renards, est-ce que je pondrais à tout bout de champ ? Aurais-je conservé la faculté de parole et de pensée ? Et la mémoire ?

Si tant est que ton cœur résiste, qu'en sera-t-il de ta mémoire dans quelques jours, Tom Cloudman ? Qu'en sera-t-il de tes souvenirs de moi ?

Je me demande depuis quand je suis enfermé dans cette cellule. J'ai l'impression d'avoir toujours vécu ainsi, suspendu aux lèvres gourmandes d'une effeuilleuse dont le ventre commence à s'arrondir.

Devenir père… Envie de ralentir pour avoir le temps d'apprécier. De perdre mon titre de plus mauvais cascadeur du monde et d'en gagner d'autres, plus intimes. De voir le ventre d'Endorphine se changer en montgolfière, de la réchauffer pour qu'elle maintienne le cap.

Le futur glisse entre mes doigts duveteux mais j'apprends de nouvelles techniques de combat. L'acidité métallique du sablier qui se vide en moi se change en palpitations de coton. J'ai toujours peur, mais le contact de mes plumes qui s'allongent me réconforte. J'aime prendre le temps de les sentir glisser entre mon pouce et mon index. Prendre aussi la mesure extraordinaire de ce qui m'arrive.

La qualité de mes rêves s'améliore. Quand je sens le sommeil m'envelopper, je focalise mon attention sur ce que je voudrais voir. Je respire lentement et tente d'arrêter cette machine à penser qui vous colle au sol. Parfois, ça marche. Alors je peux me promener dans les coins les plus enchantés de ma tête. Dans mes rêves, les oiseaux d'Endorphine hissent mon lit au-dessus de l'hôpital. À bord de ma montgolfière vivante, je regarde le bâtiment se dissoudre à travers les nuées. En quelques secondes, il se transforme en souvenir, souvenir qui s'efface à son tour. Les draps fondent, les oiseaux disparaissent en silence. C'est le ventre d'Endorphine qui m'a fait décoller. Je vole. Mon oiselle accouche dans un nid de cumulus.

« C'est l'heure de la toilette, monsieur MacMurphy ! » Une voix tonitruante de klaxon parasite l'extase délicieuse. J'ouvre les yeux. Je flotte au-dessus du lit. Tout nu, je crois. L'aide-soignante pousse un cri de fan des Beatles. Je m'écroule sur le matelas. Ça fait un bruit de sac. La porte claque, la silhouette de knacki balls disparaît. Effrayer est à la fois amusant et humiliant.

Je me dirige vers la salle de bains, qui me paraît de plus en plus loin. Je me dresse péniblement au-dessus du lavabo devenu immense. Je suis angoissé à l'idée de découvrir mon reflet.

Je ne me reconnais plus. Plus de peau, que des plumes. Plus je m'examine, plus j'ai l'impression d'observer l'intérieur d'un oreiller. De très près. Mes yeux sont des kaléidoscopes dans lesquels on a enfoncé des litres de duvet.

Je tente de regagner mon lit, le lino me colle aux pattes. Il neige des questions sous mon crâne. Comment ça va se passer si je m'en sors ? Les gens vont-ils me regarder avec cette incompréhension méfiante que j'ai repérée dans l'œil de certaines infirmières ? Vont-ils hurler sur mon passage comme si j'étais un ptérodactyle ? Me chasseront-ils ? Devrons-nous élever notre enfant dans la forêt ? Vais-je devoir me méfier des chats ?

On frappe à la porte. La Doctoresse est là, accompagnée d'une autre femme en sac de pomme de terre bleu et d'un homme portant un masque anti-microbes. Je ne les connais pas. Je me cache sous les draps. Ils se parlent à voix basse. Je tremble un peu, le frottement de mon plumage contre les draps m'empêche d'entendre. Je m'applique à ne pas bouger. Du coup, j'oublie un peu de respirer. La femme dit qu'on devrait me transférer dans une clinique vétérinaire. Endorphine proteste. Mon cœur tonne comme une armée de lapins Duracell jouant du tambour. L'homme dit que j'aurais déjà dû être exclu lorsque j'ai cassé les tibias de Mme Sérault. La femme dit qu'elle connaît une très bonne clinique vétérinaire, que son chien en est très satisfait. La doctoresse maintient que malgré mon apparence j'ai besoin d'être soigné comme un humain. J'entends des pas, quelqu'un s'approche du lit. Ce n'est pas Endorphine, ses pas ne font jamais de bruit. L'homme tire sur les draps d'un coup sec et me découvre. Je n'ai pas froid mais me mets à trembler un peu plus. D'autres infirmières se massent à l'encoignure de la porte. L'homme dit qu'on ne sait pas comment évoluera cette maladie, que je pourrais contaminer le personnel. La femme acquiesce avec une moue de vieille qui vient de finir un sudoku. La doctoresse assure que cette maladie n'est pas contagieuse. L'homme lui rétorque qu'elle n'en sait rien, qu'ils ne peuvent pas se permettre de prendre le risque. La doctoresse s'approche et me recouvre avec le drap, un peu comme un mort. Ils quittent la pièce.

Je n'arrive pas à enclencher le mode colère. Mon cerveau est gelé. Dire que mon grand rêve d'évasion pourrait se terminer dans une clinique vétérinaire, à attendre la piqûre suprême entre un chat à moitié écrasé et un chien paraplégique… Quand je serai un fantôme, je reviendrai vous hanter dans votre sommeil ! Je vous enlèverai votre couverture d'un coup sec devant tout le monde ! Je vous planterai un bouquet d'orties dans le cul et vous vous gratterez pour l'éternité !

J'ai beau cadenasser mes paupières, le sommeil se refuse à moi. La porte de ma chambre grince. Je sursaute et le peu de muscles qu'il me reste se crispe comme une vieille méduse. Quelqu'un essaie d'entrer. Ils sont plusieurs. Je n'ose pas ouvrir les yeux. Ça s'approche au ralenti. Le lino craque. J'enfonce mes pattes dans le matelas. Je pense à la clinique vétérinaire et à cette nouvelle mode de parquer les malades dont j'ai entendu parler aux informations. Je me concentre de toutes mes forces pour déployer mes ailes engourdies de sommeil. Rien ne se passe. Une respiration balaie le bout de mes plumes.

« Tom… Tom… » chuchote une voix. J'ouvre les yeux pour découvrir Endorphine, Victor et Pauline en ordre de bataille au pied de mon nid. La femmoiselle me prend dans ses bras et me demande de me calmer. Victor tente de me caresser le dos. Elle me dit que je ne risque rien. Qu'elle s'occupera de moi dans la volière. Pauline ajoute « moi aussi ». Le contact du plumage d'Endorphine m'apaise enfin. Son ventre-planète me donne l'impression d'être en lieu sûr. Je reconnais le son de l'escalier de secours et l'odeur de ciel.

La nuit se propage tel un jet d'encre qu'une seiche géante s'amuserait à cracher par-delà les galaxies. Endorphine m'installe dans ce qu'elle appelle un nid d'hôpital. Ce n'est plus un lit, mais je vais encore avoir affaire au cathéter. Leurs trois visages autour de moi me donnent des sensations, mi-rassurantes mi-angoissantes, de nouveau-né. Pauline me souhaite bonne nuit avec la tendresse d'une grand-mère gâteau, Victor s'endort dans ses bras. Ils quittent la volière. Endorphine allonge son corps trop grand pour moi en face du mini-mien. Elle dit que je pourrai bientôt voler seul, que tout ira bien. Ses mots s'espacent et leur volume s'estompe jusqu'à devenir moins sonore que son souffle. Je la regarde s'endormir. Mes paupières aimeraient se fermer, mais je veux coûte que coûte assister à ce spectacle jusqu'au bout. Sa respiration rythme le ressac d'une mer de plumes, ses cils vibrionnent tels des sismographes. Un infime spasme fabrique une moue irrésistible au bord de ses lèvres. L'envie de l'embrasser est si forte que je pourrais la manger. Alors je la photographie. Pause longue, pour laisser la lumière de la nuit imprégner son visage. Dehors, les oiseaux symphonisent peinards, le bec planté dans les étoiles. Je les entends s'ébrouer, le bruit de leurs ailes me procure un frisson de joie. Le jour va bientôt se lever et personne ne viendra me réveiller.

Une odeur de menthe fraîche m'envahit. Je débranche mon cathéter et m'extirpe de mon nid. Mes pas semblent glisser sur le parterre soyeux. La brume filtre les lumières sans les abîmer. Les oiseaux d'Endorphine se baignent dans les nuages et reviennent trottiner à mes pieds. Des femmes invisibles tirent sur des cigarettes qui en se consumant laissent des petits bouts de feu qu'on appelle « étoiles ». Ces sirènes célestes semblent me faire des appels de phare. Elles télécommandent mes pulsions de décollage. Endorphine dit qu'il faut attendre encore, que mes ailes ne sont pas assez longues, que sans les rouges-gorges de secours je pourrais m'écraser. Au loin, une nuée d'oiseaux migrateurs apparaît comme une barbe de trois jours sur les joues d'un cumulus. Ils n'ont pas besoin de câbles pour voler de concert. Leur liberté m'hypnotise. Le vide m'attire. Les migrateurs se rapprochent, aimantent mon plumage.

Je me jette dans le ciel à mains nues. Je perds très rapidement de l'altitude, traverse leur nuage. Ils me regardent passer, interloqués. Je dégringole les étages du ciel dans un état de bien-être cotonneux. Mes yeux zooment sur le sol. Le bruit du vent m'indique que je prends de la vitesse. Le parking de l'hôpital, un timbre-poste flou quelques secondes auparavant, se change en réplique réaliste de lui-même. Un frisson dévale ma colonne vertébrale, ultime signal d'alarme.

Quelque chose en moi refuse de l'écouter. Le vent grimpe dans les aigus.

Une main douce et ferme me saisit par l'échine. Le parking rapetisse à nouveau. La main douce et ferme me dépose au bord du nid.

— Tu... n'es pas... encore... prêt, dit Endorphine, à bout de souffle.

— J'adore quand tu me sauves.

— Moi aussi... mais je ne suis pas infaillible. Le jour où tu seras complètement oiseau et où tu voleras de tes propres ailes viendra bien assez tôt. Mais si tu te lances alors que tu n'es pas prêt, ni l'homme ni l'oiseau ne survivront. J'aimerais arrêter le temps pour que tu restes un peu comme ça, entre les deux... J'aimerais tant que tu restes encore un peu... dit Endorphine en reprenant son souffle.

Les premiers rayons de soleil défigurent la volière. L'oiselle entre dans sa cabane ovoïde. Elle en ressort femme quelques minutes plus tard, attifée de son sac de pommes de terre bleu.

— À quelques minutes près, je n'aurais pas pu te rattraper. Je ne peux pas voler en plein jour. Même sur un vélo je ne change pas les vitesses tellement j'ai le vertige, alors s'il te plaît, ne t'approche pas du bord du ciel avant la tombée de la nuit… et ne débranche pas ton cathéter. Tu dois m'aider à t'aider pour qu'on s'en sorte, d'accord ? dit-elle en nouant son chignon de danseuse. Elle m'embrasse et disparaît dans l'escalier en colimaçon qui l'emmène vers le monde de la journée.

Un écho de conscience lointaine m'envoie des signaux de détresse. J'aimerais l'aider à m'aider, comme elle dit, mais quelque chose en moi s'abandonne. Le gouvernail de la raison fond au soleil, je glisse. Le chant des sirènes invisibles résonne, même en plein jour. Je les perçois plus naturellement que les voix humaines. J'entends les oiseaux migrateurs avant de les voir, je chante avec eux sans même le décider. Ils m'appellent. Chaque seconde est un nouvel épisode de vie. Les concepts de temps et de patience sont brouillés. Je me dégourdis les ailes sans trop m'approcher du bord du ciel. Parfois je reste quelques secondes au-dessus du sol. Je m'efforce de penser à autre chose. Je ne parviens plus vraiment à penser à autre chose. Je photographie les nuages pour me calmer. Une ultime balise s'éclaire encore, sorte de phare noyé dans la brume. Devenir père.

Le souvenir de l'homme que j'étais s'efface comme une vieille photo, je tente de le recréer pour éviter d'effrayer Victor. Pauline me l'a amené cet après-midi. Il m'offre sa panoplie de Spider-Man, j'accepte de la passer pour le remercier, même si je me sens beaucoup mieux tout nu avec mes plumes. Je lui donne mon ancien costume de cascadeur en échange. Ses yeux qui pétillent lorsqu'il l'enfile éclairent mon après-midi. Pauline joue le rôle de Pauline, elle me parle de choses du quotidien comme si de rien n'était. « Ils soupçonnent tous le docteur Cuervo de t'avoir enlevé. Une aide-soignante a vu notre petit manège, mais elle se tait parce qu'elle a honte de ne pas s'être opposée à ton exclusion, elle me l'a dit. Tout le monde sait, et tout le monde se tait. » Je crois qu'elle a besoin de se rattacher à quelque chose de terrien, le bord du ciel l'effraie.

Les jours et les nuits s'égrènent. La Betterave me rappelle que je suis encore un homme, en me collant au sol des heures durant. De temps à autre, elle s'approche pour m'arracher les plumes. J'ai vu Endorphine détourner le regard en les ramassant une à une. Victor fait comme s'il ne se rendait compte de rien. Chacun joue à épargner l'autre. Ma femmoiselle gère sa double vie et la mienne avec tendresse et détermination. Elle fatigue de plus en plus vite avec un enfant dans le ventre et un autre sur le dos. Tous les soirs je vois le docteur Cuervo entrer dans la cabane et ressortir oiselle, aussi désinvolte que si elle sortait de la douche. C'est le meilleur moment de la journée. Nous nous laissons aller à ne pas penser et, parfois, nous nous arrachons légèrement du sol.

Depuis quelques jours, l'enfant-lune me dépasse. Si ça continue, je pourrai bientôt me cacher dans le ventre d'Endorphine, ce nid prodigieux. J'ai du mal à articuler, l'idée de prononcer des mots me fatigue.

Je ne parviens plus à tenir debout ni à écrire. Mes doigts ne sont plus vraiment des doigts. Je ne supporte plus le contact du tissu. On me soulève comme un gros poupon pour m'embrasser, une partie de mon cerveau ne parvient pas à s'habituer. Une question me taraude l'esprit, j'ai tellement peur de la réponse que j'en ai retardé l'échéance jusqu'à maintenant. Est-ce que mon esprit est en train de rétrécir lui aussi ?

L'oiselle se saisit de mon corps miniature, colle mon crâne contre son ventre arrondi. Je perçois des bruits de fonds sous-marin, quelques mouvements. « Je… je me demande si tu ne vas pas ac… coucher d'une sirène… » Je réalise que la longueur qui sépare mes pattes de ma tête n'excède pas la largeur de son abdomen.

« Je me demande si tu ne vas pas accoucher d'une sirène » ont été les derniers mots prononcés par Tom Cloudman. Il s'est réveillé ce matin en sifflotant. Son chant était empreint d'une mélancolie qui ne mentait pas. Il sait qu'il ne peut plus parler. Ses sifflements remplacent la parole qu'il a définitivement perdue. Je suis désormais la seule à pouvoir le comprendre.

Je me planterais bien une piqûre de poison mortel dans le bras. Il me suffira de récupérer une pompe dans le sous-sol de l'hôpital. La femme en moi disparaîtra pour laisser le champ libre à l'oiselle. La métamorphose sera rapide et irrévocable. Je planterai l'aiguille dans mon bras juste avant le crépuscule, blottie contre le petit corps emplumé de Tom Cloudman. Je laisserai le venin bienfaiteur irriguer mon corps toute la nuit. Aux premiers rayons du soleil, nous survolerons les nuages ensemble.

Tandis que je me laisse aller à cette idée rassurante, j'observe mes mains qui, sans que j'en aie eu conscience, sont venues se placer sous mon abdomen. La métamorphose de Tom m'attire vers les contrées célestes, mais mon ventre qui s'arrondit fait contrepoids. Depuis toujours, je dois avancer sur le fil du rasoir qui sépare le jour de la nuit, le ciel de la terre. Partir et revenir en équilibre, mouvement perpétuel imposé par ma nature hybride. À la fin de ma chrysalide, il s'en est fallu de peu que je sacrifie mon humanité sur l'autel de l'instinct pur. Mes pulsions m'entraînaient dans un tumulte grisant. En grandissant, j'ai appris à mieux les comprendre. Jusqu'à maintenant, cela m'a permis d'approcher une certaine forme d'harmonie. Mais tout est remis en question par les derniers événements.

Je fais régulièrement monter Victor à la volière. Il passe son temps avec Tom sur l'épaule, on dirait un jeune pirate chuchotant quelque secret précieux à l'oreille de son perroquet complice. Dès que Tom émet le moindre gazouillis, il acquiesce avec sérieux ou se met à rire. Il fait semblant de le comprendre. Je n'ose pas m'immiscer. Cet enfant que la maladie avait rendu adulte trop tôt s'est reconnecté à ses rêves. M. Cloudman a réussi son coup.

Tom rapetisse dans mes bras, Tom Junior pousse dans mon ventre. Comme si le père faisait de la place pour le fils qui arrive. L'addition des métamorphoses s'alourdit de jour en nuit. Je deviens encombrante, même pour moi-même.

Ce soir, l'enfant-lune somnole dans mes bras et Tom dans les siens. Il a tenté de lui enfiler un costume de marionnette qu'il avait récupéré dans les jouets de l'hôpital, mais Tom s'est mis à voleter nerveusement en poussant des sifflements aigus. Malgré ses yeux embués, l'enfant-lune l'a alors fait voler comme une maquette d'avion. L'obscurité bruisse tel le ventre d'une baleine en pleine digestion. Il faut que je raccompagne Victor avant qu'on pense que je l'ai kidnappé lui aussi. Je glisse Tom contre ma poitrine, il est encore tout chaud. Son cœur bat si vite qu'on dirait qu'il vibre. Sa respiration, par contre, est très espacée.

Je dépose Victor dans son lit.

— Qu'est-ce qu'il va devenir ? me demande-t-il du bout des lèvres.

— Un oiseau.

— Comment ça ? demande Victor en fronçant les sourcils.

— L'être humain que tu as connu est en train de s'effacer. Il ne sera alors rien d'autre qu'un simple oiseau.

— Est-ce qu'il pourra encore penser, nous reconnaître ?

— Comme un oiseau peut nous reconnaître, mais grâce à ça Tom sera sauvé.

— Et une fois qu'il sera sauvé, il pourra revenir ?

— Oui, mais pas tel que tu le connais. Il sera débarrassé de cette Betterave qui lui mange le cœur et le cerveau, mais il sera à jamais différent.

— Je peux le prendre un peu avant de dormir ?

— Bien sûr.

Victor prend Tom entre les paumes de ses deux mains et le pose sur ses genoux. Il caresse son plumage du bout des doigts, lui sifflote quelques notes. Puis il se met à chanter, la seule chanson qu'il connaît :

Spider-Man, Spider-Man
Does whatever a spider can :
Spins a web, any size,
Catches thieves just like flies.
Look out :
Here comes the Spider-Man…

Son chant, même tremblotant, reste joyeux.

Les néons de six heures du matin enflamment brusquement les couloirs. Mes plumes commencent à se rétracter. Si je me transforme ici, je vais me retrouver nue dans la chambre d'un patient ! Victor me tend le corps endormi de Tom, je le glisse dans mon décolleté avant de prendre la fuite. Le lino se change en patinoire sous mes pieds. Les infirmières de jour prennent leur service. Il me reste une vingtaine de mètres à parcourir avant d'atteindre la porte qui donne sur l'escalier de secours. Si j'accélère ma course, je risque la chute. Si je n'accélère pas, je risque une mauvaise rencontre. Tom dodeline entre mes seins et se met à roucouler. Plus que dix mètres. Le frisson de plumes que je connais si bien slalome contre ma colonne vertébrale et amorce le grand tremblement de genoux. Depuis que je suis enceinte, je le supporte plus difficilement.

« Hé ! Vous là-bas, qu'est-ce que vous faites… Qui êtes-vous ? » scande une voix dans mon dos. Je continue ma course, mon cerveau commande à mon corps de s'envoler mais ce dernier n'en est plus capable. J'ai peur de tomber sur mon ventre.

« Hé ! Où allez-vous comme ça ? » crie la voix. J'atteins l'issue de secours, me jette dans l'ascension de l'escalier en colimaçon.

Une fois dans mon nid, quelques secondes sont nécessaires pour reprendre mon souffle et mes esprits. Je colle mon oreille à la trappe qui sépare le bord du ciel de l'hôpital après l'avoir solidement verrouillée. Ma métamorphose se termine, je me sens comme sortie d'un bain d'eau fraîche sans serviette. Le vent frais du matin finit de me pétrifier. Je ne suis ni au bon endroit, ni au bon moment. Des bruits de pas résonnent sur les marches métalliques. Si l'infirmière qui m'a aperçue dans le couloir grimpe, nous sommes foutus ! Tom se détend les pattes sur le parterre de plumes, sa bouche miniature laisse échapper un court bâillement. Le bruit de pas s'éloigne, mon poursuivant a dû penser que je tentais de m'échapper par en bas.

Me voilà nue devant un presque oiseau qui semble encore me désirer. Sensation incongrue, mais rassurante en un sens. Je passe ma blouse de travail en observant Tom. La circonférence de son crâne n'excède pas celle d'une balle de ping-pong, mais ses traits humains n'ont pas complètement disparu. La flamme au fond de la pupille est également intacte. Son corps, lui, est désormais celui d'un oiseau. Un cardinal à houppe rougeoyante.

Je dois prendre mon service, mais j'ai peur qu'il s'envole d'ici mon retour. Je suis tentée de le glisser à nouveau contre ma poitrine. S'il se mettait à gazouiller dans mon décolleté, je pourrais faire semblant de siffloter en play-back. S'il s'envolait devant tout le monde et que je n'arrivais pas à le rattraper, par contre... il risquerait de paniquer, de se cogner à ces maudites fenêtres que l'on ne peut pas ouvrir.

Je m'agenouille et lui offre mes dix doigts en corolle. Il grimpe maladroitement dessus. Dans le silence du petit matin, Tom Cloudman sifflote gaiement. Je m'applique à lui rendre la pareille – l'air de rien. Il me répond d'un roucoulement vif. Je me dirige vers le bord du ciel. À chaque pas effectué, les battements de mon cœur s'accélèrent, les siens vibrent. Je crois qu'il tremble. Je crois que moi aussi. Le silence écrase la volière, même le vent se tait. Je chante doucement, les pieds ancrés dans le sol. Mes mains s'ouvrent jusqu'à former une surface presque plane. Les muscles de mes avant-bras se tendent, je me concentre pour ne pas trop trembler. Mes pouces ne peuvent s'empêcher de remonter pour le caresser. Ses pattes me chatouillent lorsqu'il se promène sur mes paumes. Je continue de chanter. Il sautille sur ma main droite, se stabilise en face de moi. Son visage minuscule lui ressemble encore tellement, ses yeux brillent comme ceux du Tom Cloudman de la grande époque ! Une idée saugrenue me traverse : le photographier. Ma façon de le capturer sans l'empêcher de décoller. Un film de souvenirs se déroule sous mes paupières. Quelqu'un a dû brancher un projecteur sous mon crâne. Moi, peut-être. Je l'imagine en costume d'Indien courant sur le toit de son école puis s'élançant dans les airs avant de s'écraser dans un figuier. Ou jouant au football avec ses rollers, sa cascade favorite, qui finissait toujours par un feu d'artifice de jambes et de bras. Ou en train d'arpenter les couloirs de l'hôpital, cathéter débranché avec sa paire d'ailes mal découpées scotchées au sparadrap.

Ses yeux me regardent avec intensité. Tom continue de tourner sur mes paumes, ralentit. Il s'est positionné face à la ligne d'horizon. J'essaie de ne pas m'arrêter de chanter. Sensation chatouilleuse, agitation de pattes, caresse de plumes. Soudain le vent passe entre mes doigts. Il est parti…

Mes phalanges se relâchent et se recroquevillent. Il est parti. Il bat des ailes vigoureusement, sans se retourner. Mesdames et Messieurs, Tom Cloudman est en train de réussir son ultime cascade, sans filet. Je suis fière de lui. Je m'accroche à cette idée, mais elle se dérobe. Il prend de l'altitude en tournoyant au-dessus de l'hôpital. La métamorphose est complète. Il n'a plus besoin de moi. Là où il va, la Betterave ne pourra jamais le rattraper. Personne ne pourra… Je chante encore un peu, on ne sait jamais.

Un jour, bien plus tard, Tom Cloudman plantera son corps dans un nuage. Un soir d'hiver, il reviendra sous forme de flocon de neige qui ne fond pas. Je serai là. Je serai la seule à le reconnaître.

Victor et moi sommes allés acheter des albums de Johnny Cash. Ensuite, direction le magasin de farces et attrapes. On a vidé leur stock de ballons et de bonbonnes d'hélium. La vendeuse – une vieille femme – m'a demandé si on fêtait l'anniversaire de sextuplés, j'ai répondu en expliquant la vérité et elle s'est mise à rire comme une bossue – ce qu'elle n'était pas loin d'être, d'ailleurs. Notre étrange pèlerinage s'est clos par une visite dans une boutique d'articles de sport pour acquérir un bateau pneumatique rondouillard jaune et bleu de marque « Sevylor ».

De retour en bord de ciel, nous avons tapissé ton esquif de plumes. L'excitation de la préparation anesthésie par instants la mélancolie. J'ai fait passer une notule annonçant l'enterrement dans la presse du jour, j'ai spécifié que tu souhaitais que ce soit costumé : « Thème : oiseaux et autres animaux à poils. » Restait à trouver un curé qui accepte les animaux humains dans son église. Cela n'a pas exactement été une sinécure. La première grimace venait habituellement lorsque j'évoquais Johnny Cash. J'insistais bien sur « Cash », car si tu te retrouvais avec du Johnny tout court à ton enterrement humain, tu m'en voudrais pour l'éternité.

Je sais que tu te fous un peu de l'Église, mais comme le proclame l'inénarrable Pauline : « Sinon, ça fait pas fête ! » Et je tiens à maintenir quelques repères pour les proches qui ne le sont pas assez pour comprendre ta démarche, mais suffisamment pour se sentir mal à l'aise.

J'ai finalement reçu l'absolution animalière de la part d'un très vieux curé doté d'un sens de l'humour particulier. Ce monsieur habite seul dans une église-cabane remplie de figurines religieuses si kitch qu'on croirait qu'il se les procure aux puces. Il m'a interprété *Great Balls of Fire* de Jerry Lee Lewis en mode mineur, « plus en accord avec l'atmosphère d'un enterrement », m'a-t-il expliqué les yeux mi-clos. S'il n'était pas curé, je serais au bord de penser qu'il me drague un peu.

Le soleil brille, ses rayons se cognent au réveil déglingué qui fait office d'horloge à l'église. La cloche sonne mollement, comme si elle était en train de fondre. Je suis sur le parvis, à distribuer des costumes d'animaux à ceux qui n'auraient pas eu le temps de s'en procurer. Des admirateurs avertis par l'annonce parue hier, j'imagine. Les gens défilent avec leur tête d'enterrement et leurs déguisements mal ajustés.

Tu voulais sans doute faire craquer le vernis de mélancolie des enterrements parce que tu en as vécus qui t'ont été insupportables. J'aurais aimé savoir qui étaient ces gens… Toutes ces choses que tu n'as pas eu le temps de me dire… Je resterai à jamais frustrée par le manque d'élasticité du temps.

Victor a décidé de se déguiser en « être humain ». Il ne quitte pas le costume de cascadeur que tu lui as offert. Pauline a osé un déguisement de cigogne. Belle initiative, sauf qu'elle évoque plutôt l'oie domestique. L'aide-soignante qui s'est occupée de toi porte un déguisement de tigre trop grand qui la fait ressembler à un de ces chiens hors de prix tout fripés. Les ogres qui te fournissaient en plumes ont opté pour un déguisement d'ours polaire très bien coupé. Même la vieille dame à qui tu avais fracassé les tibias lors de notre folle nuit de décollage est venue, tous plâtres dehors. Elle porte un costume d'abeille avec des ailes de tulle. Sa maigreur tremblotante donne l'impression qu'elle butine une fleur invisible. Une infirmière sublime habillée en Catwoman pousse son fauteuil, je ne suis pas mécontente que tu ne croises pas son regard.

« Si j'avais fait connaissance avec tes fesses au temps de la préhistoire, tu m'aurais inspiré si fort que j'aurais inventé la roue ! » m'avais-tu glissé à l'issue d'une course à la caresse. Je crains qu'aujourd'hui tu ne me prennes plutôt pour un gros dindon avec cette baudruche qui pousse au-dessus de mon abdomen, surtout à côté de ce genre de beautés. Petite pomme déguisée en lapine à talons aiguilles par-ci, souris déguisée en souris par-là, mais aussi hommes-crocodiles, chiens aux oreilles qui traînent par terre et oiseaux mal peignés engoncés dans des costumes trop petits, toute l'arche de Noé est présente. Des passants intrigués s'arrêtent devant l'entrée et me demandent s'il y a des acteurs connus dans notre film. Je réponds que non.

La cérémonie commence. Hommes et femmes se lèvent, et ceux qui ont un masque se découvrent. L'arrivée de ton drôle de cercueil provoque un frisson général. Le silence s'épaissit, l'église se glace, les pas des croque-morts font trembler les tympans. Plus personne n'ose respirer, plus personne ne pense à respirer.

Le curé fait son entrée en scène. Son costume d'écureuil lui va comme un gant. Il attaque en jouant *Hurt* de Johnny Cash. Les femmes psalmodient les paroles. Il habite son chant tel un prédicateur du Far West en transe. Les poils de son couvre-chef s'agitent alors que son verbe s'emporte. Une lapine se lève et crie « yes ! », puis se rassoit en s'excusant d'un geste de la main. Le prêtre continue en évoquant ce qu'il appelle ta cascade suprême. Il pleut sous mon crâne, mais les éclaircies demeurent. Je me sens lave sur la glace, flocon sur le feu. Je suis ravagée par le désir de rembobiner le temps pour revivre ce que nous venons de vivre autant de fois qu'il le faudrait pour parvenir à te sauver et te garder. Mais la cérémonie que tu souhaitais est en train d'avoir lieu, et ce n'est pas fini.

La ménagerie quitte l'église. Prochaine étape : la volière. Les invités affluent, on se croirait à un anniversaire pour animaux. Tout le monde s'assoit en tailleur. Je chante *Ain't No Grave* de Johnny Cash au piano à oiseaux. Cette chanson pulse comme un vieux train. Dernier départ pour le ciel dans 5 minutes, 5 minutes…

Victor remplit ton cercueil pneumatique de livres, photos de rêves et de fantômes, jouets à lui. Il me demande si je pense que tu vas venir. J'étouffe un sanglot.

Dernier départ dans 4 minutes…

Tu as explosé ton âme en puzzle pour la répartir dans chaque ballon d'hélium et c'est à moi de m'occuper de tout ça ?

Dernier départ dans 3 minutes…

Je me dis qu'une partie de toi est en vie, on ne peut pas rêver meilleure mort.

Dernier départ dans 2 minutes…

Je gonfle les ballons d'hélium avec solennité. Les animaux se blottissent les uns contre les autres.

Dernier départ dans 1 minute…

Je tape dans mes mains et demande à l'assistance de se joindre à moi pour déclencher l'éveil des oiseaux de secours. Une salve d'applaudissements plus tard, une chorale de pépiements envahit la volière et les filins des ballons du cercueil pneumatique se tendent. La faune se lève comme un seul homme. Pauline s'avance au bord du ciel et m'entoure de ses bras douillets. Le frottement des tissus provoque une décharge d'électricité statique.

Départ…

Je soulève légèrement ta dernière demeure afin qu'elle se décolle de la terre et qu'enfin le ciel la reconnaisse. L'assistance laisse le silence et le vent faire leur travail. Je retiens ma respiration. Imperceptiblement, tu quittes mes bras. Perceptiblement aussi. Et ce pour la dernière fois. Je suis tentée de m'accrocher à la carlingue gonflable pour te retrouver, mais je risquerais de tomber de haut, surtout en plein jour. Victor regarde ton décollage à travers le kaléidoscope que tu lui as offert.

Tu t'envoles pour de bon, nous glisses entre les doigts. Tu pars te rejoindre. Tout le monde te regarde escalader le ciel en clignant des yeux, certains pleurent, d'autres applaudissent. Pauline se fait une visière avec la paume de ses mains.

Tu flottes désormais à une centaine de mètres au-dessus de l'embarcadère. On n'entend plus les oiseaux, on n'entend plus rien, on ne te voit presque plus. Tu es en train de déclencher la plus grande épidémie de torticolis de tous les temps. La légère brise qui t'emporte me caresse la peau. Ton ombre s'effiloche à son tour. J'aurais dû acheter un plus grand bateau pneumatique, elle aurait duré plus longtemps. Je me serais allongée à tes côtés, encore un instant.

Le ciel t'avale et t'asperge. Tu n'es plus qu'un point, je ne parviens plus à te voir avec mes yeux qui débordent. Quelqu'un ! Laissez quelque chose, une trace !

Le vent est aimanté, et même au beau milieu de la journée mes instincts nocturnes surgissent. Je les sens qui m'enveloppent comme lors d'une métamorphose. Te suivre.

Tu n'es plus qu'une petite tache qui tournoie au ralenti. Je m'approche encore du ciel, mes tempêtes intérieures me poussent à te rejoindre. Je m'accroche au ciel avec les ongles, le ballon de football sous ma peau m'entraîne vers l'avant. Mon pied gauche glisse, le vide m'aspire. Mes yeux se ferment pour mieux te voir.

Une main en peluche se saisit fermement de mon bras gauche : Pauline me ramène du côté de la vie.

Épilogue

Un an plus tard.

Je suis la plus heureuse des mamans catégorie veuves éplorées. Le ballon de football est devenu ballon de basket, puis bébé. Je voudrais que tu voies ses doigts miniatures escalader mon ventre et ses grands yeux s'allumer comme deux planètes mystérieuses. Il n'a pas encore de sourcils, mais il les fronce déjà comme toi ! J'aime aussi ce petit être pour ce qu'il est et ce qu'il va devenir, hors de ton souvenir. La joie entre souvent en court-circuit avec la mélancolie. Parfois, ça brûle si fort que je dois m'écarter un peu de toi, mais j'apprends à trouver la bonne distance pour continuer de m'y réchauffer.

Aujourd'hui, c'est ton premier anniversaire d'envol. Pour l'occasion, je me suis ouvert une bouteille de « Tom Cloudman » millésimée. D'ici neuf mois, nous aurons peut-être un nouvel anniversaire à fêter.

Métamorphose en bord de ciel

Victor joue au grand frère. Je crois qu'il lui a déjà raconté plusieurs épisodes de Spider-Man. De temps à autre, il dispose des graines sur le bord de sa fenêtre. Je viens les récupérer pendant qu'il dort pour qu'il pense que c'est toi qui les as mangées.

Remerciements

Au printemps des Olivia en fleurs – de Dieuleveult et Ruiz – sages-femmes assez folles pour m'avoir aidé à faire éclore ce livre.

Mise en page par Meta-systems
Roubaix (59100)

CET OUVRAGE
A ÉTÉ ACHEVÉ D'IMPRIMER
SUR ROTO-PAGE
PAR L'IMPRIMERIE FLOCH
À MAYENNE EN FÉVRIER 2011

N° d'édition : L.01ELHN000241.N001. N° d'impression : 78773.
Dépôt légal : mars 2011.
(Imprimé en France)